KB104597

포르투갈을 만든 결정적 전투 27

포르투갈을 만든 결정적 전투 27

발행 | 2024년 1월 10일
저 자 | 리스보니따 부부
펴낸이 | 한건희
펴낸곳 | 주식회사 부크크
출판사등록 | 2014.07.15.(제2014-16호)
주 소 | 서울특별시 금천구 가산디지털1로 119 SK트윈타워 A동 305호
전 화 | 1670-8316
이메일 | info@bookk.co.kr

ISBN | 979-11-410-6522-5

www.bookk.co.kr

본 책은 본고딕, 본명조, 나눔고딕, 마포금빛나루, 부크크명조, 부크크고딕, 카페24당당해 글꼴을 사용하여 제작되었습니다.
114페이지 핑크 지도에 대한 출처 표기 :

포르투갈을 만든 결정적 전투 27

지은이 리스보니따 부부

차례

포르투갈을 만든 결정적 전투 27

차례

권말부록: 포르투갈 왕 이야기

저자 소개

저희 리스보니따 부부는 여행전문작가로 현재 포르투갈과 수도 리스본에 관하여 가장 많은 여행 정보와 이야기를 담고 있는 전문 블로그(lisbonita.net)를 운영 중입니다. 처음엔 그저 날씨 좋은 곳에서 충전하기 위해 리스본을 찾았다가 아직도 그 매력에서 빠져나오지 못하고 있습니다. 2017년부터 매일 포르투갈 구석구석, 이 골목 저 골목을 누비면서 역사와 인물들의 이야기를 몸으로 느끼는 중입니다. 더 많은 사람들이 포르투갈과 리스본의 매력에 빠져들기를 바라며 오늘도 걸으며 사진을 찍고 있습니다.

서문

리스본 군사 박물관의 숨겨진 보석들: 포르투갈 역사를 타일에 담다

포르투갈의 리스본에는 벨렝탑이나 제로니무스 수도원처럼 전 세계적으로 유명한 볼거리가 많이 있습니다. 하지만 관광객들은 잘 몰라도 저희 입장에서는 그 어떤 곳보다 좋아하고, 자주 방문하는 최애 관광지가 있으니 바로 리스본 군사 박물관(Museu Militar de Lisboa)입니다. 국립 판테온이나 파두 박물관과 가까운 거리에 있으며, 기차역이자 지하철역이기도 한 산타 아폴로니아 역 바로 앞에 있어서 접근성도 좋습니다.

리스본 군사 박물관은 방대한 군사 유물을 소장하고 있는 중요한 문화 및 역사 기관입니다. 하지만 단순한 군사 장비 전시를 넘어 포르투갈의 역사와 문화를 배울 수 있는 곳으로도 너무나 좋은 곳입니다. 특히 인도항로를 개척한 바스코 다 가마 방이나, 포르투갈의 대서사시를 쓴 대문호 루이스 까몽이스의 방은 저희가 갈 때마다 한참을 구경하는 멋진 곳이라고 할 수 있습니다.

그리고 군사 박물관 안뜰에는 세계 최대 규모의 대포 전시장이 있는데 무기를 잘 모르는 저희 부부는 대포들보다 사면을 둘러싼 아줄레주(포르투갈의 타일예술)들을 더 좋아합니다. 이 아줄레주는 포르투갈 역사에서 중요한 전투 27개를 선정해 그 역사적 순간을 타일 그림으로 재현해놓았습니다. 갈 때마다 이 전투들이 어떤 배경을 가지고 있으며, 어떻게 결과가 났는지 궁금해서 하나둘씩 찾아보고 공부한 결과물이 바로 이 책입니다.

이 책을 통해 여러분들은 오늘날의 포르투갈을 만든 결정적 전투 27개를 만나실 수 있습니다. 한 국가의 운명을 결정지은 놀라운 사건들을 한데 모아 엮은 것이지요.

서사시적인 오우리크 전투부터 아마란트 다리 방어의 영웅적인 전투까지, 각 장에서는 이 특별한 시대를 정의한 승리와 투쟁을 엿볼 수 있습니다. 산타렘, 리스본, 알카세르 두 살과 같은 도시의 정복은 포르투갈 사람들의 흔들리지 않는 결의를 보여줍니다.

책장을 넘기다 보면 에보라 정복, 인도 항로 개척, 브라질 발견을 통해 탐험과 무역의 새로운 지평을 여는 과정을 목격할 수 있습니다. 알주바호타, 디우, 몬트스 클라루스 전투가 눈앞에서 펼쳐지며 포르투갈 군대의 용맹함과 전략적인 탁월함을 엿볼 수 있습니다.

이 풍부한 역사적 사건의 태피스트리 속에서 우리는 이 시대를 형성한 개인들을 잊지 말아야 합니다. 제2차 세계대전 중 민간인을 구하기 위해 목숨을 걸었던 아우구스투 카스틸류 함장의 영웅적인 행동은 여러분을 감동시키고 사로잡을 것입니다.

"포르투갈을 만든 결정적 전투 27"은 단순한 전투와 정복의 기록이 아니라 인간의 정신, 용기, 결단력에 대한 탐험입니다. 이 책은 흔들리지 않는 의지로 역경에 맞선 포르투갈의 불굴의 정신에 대한 찬사입니다.

이 책이 포르투갈 역사의 매혹적인 한 장을 들여다보는 창이 되어 포르투갈 더 나아가 유럽인들이 걸어온 놀라운 여정에 대한 자부심과 감탄을 다시 불러일으키길 바랍니다. 이제 이 잊을 수 없는 항해를 함께 시작합시다.

일러두기

이 책에 나온 포르투갈의 역사를 돌이켜볼 때 포르투갈의 입장에서는 자랑스럽고, 존경받을 일일 수 있지만 경쟁자였던 상대방의 입장, 또는 피해자의 입장에서 볼 때 화가 나서 피가 거꾸로 솟을 만한 일들도 다수 포함되어 있습니다. 그러니 흥분을 가라앉히시고 한 때 세계를 좌지우지했던 한 나라의 공과 과를 살펴보는 시간 정도로 읽어봐주시면 감사하겠습니다.

포르투갈을 만든
결정적 전투 27

01 오우리크 전투(1139)

25 de Julho de 1139
Episódio da Batalha de Ourique
Mem Ramires
1139년 7월 25일
오우리크 전투
멤 하미레스

역사의 연대기에는 국가와 문명의 진로를 결정짓는 중요한 순간으로 눈에 띄는 전투가 있습니다. 1139년 7월 25일에 벌어진 오우리크(Ourique) 전투는 포르투갈에 있어 그러한 순간 중 하나였습니다. 포르투갈령 백작 아폰수 엔히크스와 알모라비드 왕조(Almoravid) 간의 이 전투는 당장의 지정학적 지형뿐만 아니라 이 지역의 문화, 사회, 경제 구조에까지 광범위한 영향을 미쳤습니다.

오우리크 전투가 전개된 배경은 역사적 의미를 이해하는 데 매우 중요합니다. 711년 아프리카의 이슬람이 이베리아 반도를 침공하여 기독교 왕국 서고트를 멸망시키고 그 자리를 차지한 후, 1492년 이베리아 반도에 남아있던 마지막 이슬람 국가가 망할 때까지 약 781년 동안의 기간을 기억해주세요. 헤콩키스타(국토수복전쟁, Reconquista)는 무어인(아프리카의 이슬람)들에 의해 이베리아 반도 북쪽으로 밀려난 기독교 왕국들이 이베리아 반도를 점진적으로 정복해 나가는 긴 전쟁을 말하는 것입니다.

부르고뉴 가문의 저명한 인물이자 2대 포르투갈령 백작인 아폰수 엔히크스는 코르바도 총독 무하마드 아즈 주바이르 이븐 우마르(Muhammad Az-Zubayr Ibn Umar)가 이끄는 알모라비드(Almoravid) 왕국의 군대라는 강력한 적과 마주하게 되었습니다. 수적 열세에도 불구하고 아폰수는 무슬림 군대의 내분을 이용하여 승리를 거두게 됩니다.

전투의 장소 자체는 여전히 역사적 논쟁의 대상이 되고 있으며, 그 운명적인 날에 벌어진 사건에 미스터리와 음모를 더합니다. 학자들은 포르투갈 남부의 바이슈 알렌테주(Baixo Alentejo) 지역에 있는 오우리크(Ourique) 들판 또는 산타렝(Santarém) 지역의 빌라 샤 드 오우리크(Vila Chã de Ourique)에서 벌어진 것으로 추정됩니다

이 전투를 둘러싼 전설에는 아폰수가 예수 그리스도와 포르투갈의 수호 천사에 대한 환상을 보았다는 이야기가 전해져 이미 기념비적인 사건에 신비주의가 더해졌습니다. 전설에 따르면 이베리아에서 '무어를 죽이는 자'로 존경받는 대야고보(Santiago Maior, 산티아고)가 이 중요한 전투에서 기적적으로 개입하여 포르투갈을 승리로 이끌었다고 합니다. 시간이 지남에 따라 이야기는 발전하여 일부 해석에서는 성 제임스를 성 조지(Saint George)로, 궁극적으로는 예수 그리스도로 대체하기도 했습니다.

이 전설의 특히 매력적인 측면 중 하나는 전투 전에 한 노인이 아폰수를 방문하여 신의 개입을 통해 승리를 예견했다는 이야기입니다. 아폰수는 지역 예배당의 종소리를 듣게 되면 야영지를 떠나라는 권유를 받았고, 말을 타고 달리던 중 십자가에 달린 예수 그리

스도와 십자가의 표징을 드러내는 한 줄기 빛을 만났다고 합니다. 그 앞에서 무릎을 꿇은 그는 승리를 확신하는 그리스도의 음성을 들었고, 다음 날 용기와 믿음을 통해 실제로 승리를 거두었습니다.

오우리크의 기적에 대한 전설은 당시의 정치적 상황을 보여주는 증거일 뿐만 아니라 포르투갈 독립이 신의 뜻에 따른 것이라는 뿌리 깊은 믿음을 담고 있습니다. 가장 초기에 알려진 기록은 15세기 초로 거슬러 올라가는데, 주앙 1세와 카스티야 왕국 간의 분쟁 당시 산타크루즈 수도원의 수도사들에 의해 기록되어 있습니다. 일부 현대 학자들은 구체적인 증거를 제시하지 않고 수도사들이 창작하거나 꾸민 이야기일 수 있다고 주장하지만, 다른 학자들은 오랫동안 이어져 온 왕실의 신앙 전통이라고 주장합니다.

이 매혹적인 이야기는 1419년 포르투갈 연대기(Crónica de Portugal)에 처음 등장했으며, 19세기 포르투갈의 소설가이자 역사가인 알렉산드르 에르쿨라누(Alexandre Herculano)가 재조사한 후 '경건한 사기(pious fraud)'로 간주할 때까지 사실로 받아들여졌습니다. 역사적 정확성과 상관없이 오우리크 전투의 전설은 포르투갈 역사의 연대기를 여행하는 사람들의 마음을 사로잡고 흥미를 불러일으키고 있습니다.

이 전투의 승리가 매우 중요한 이유는 포르투갈군 사령관 아폰수 엔히크스는 전장에서 자신을 처음으로 포르투갈의 왕으로 선포하였기 때문입니다. 이듬해인 1140년부터는 "렉스 포르투갈렌시스"(Rex Portugallensis, 포르투갈의 왕)라는 칭호를 사용하기 시작하여 사실상의 왕이 되었습니다. 오우리크 전투에 자신감을 얻은 아폰수는 평화 협정인 투이 조약(Treaty of Tui)(1137년 체결)을 파기하고 레온 영토를 침공했으며 1140 또는 1141년 즈음에 열린 발데베즈 전투(Torneio de Arcos de Valdevez)에서 승리하면서 포르투갈 독립 공인의 결정적 기회를 잡게 됩니다.

발데베즈 전투가 포르투갈의 승리로 끝난 후 1143년 레온의 알폰소 7세 왕(Afonso VII de Leão)이 자모라 조약(Tratado de Zamora)을 통해 포르투갈의 독립을 인정하고 1179년 5월 교황 알렉산더 3세의 교황령 마니페스티스 프로바툼(Manifestis probatum)을 통해 교황청에서도 정식으로 인정받았습니다.

정리하자면 이 오우리크 전투는 무어인들에 대한 포르투갈 정복 전쟁의 시작과 포르투갈 왕국 수립의 계기가 되었기 때문에 포르투갈 역사에서 중요한 의미를 지니고 있습니다.

25
DE
JVLHO
DE
1139
EPISODIO
DA
BATALHA DE OVRIQVE
Victoria P.

02 산타렘 점령(1147)

15 de Março de 1147
Tomada de Santarém
D. Afonso Henriques
1147년 3월 15일
산타렘 점령
아폰수 1세

산타렘(Santarém) 정복의 무대는 무어의 지배로부터 이베리아 반도의 지배권을 되찾기 위해 수 세기에 걸쳐 진행된 헤콩키스타(Reconquista)의 격동적인 배경 속에서 펼쳐졌습니다. 1147년, 포르투갈의 초대 국왕인 아폰수 엔히크스(Afonso Henriques)는 무어족이 점령하고 있던 전략적 요충지였던 산타렘을 목표로 삼았습니다. 이 도시를 점령하면 남쪽 측면을 확보할 수 있을 뿐만 아니라 중요한 목표인 리스본을 포함한 향후 공세를 위한 기반을 마련할 수 있었기 때문에 아폰수에게 이 도시 점령은 매우 중요한 의미를 가졌습니다.

군사적 통찰력과 확고한 결단력으로 유명한 아폰수 엔히크스는 산타렘을 점령하기 위한 대담한 계획을 신중하게 조율했습니다. 아폰수는 250명의 기병으로 구성된 소수 정예 부대를 이끌고 치밀하게 계획된 작전에 착수했습니다. 아폰수는 야간에 도시를 공격하기로 결정한 것에서 알 수 있듯이 은신과 기습을 가장 중요하게 생각했습니다. 이 전술은 무어인 수비대의 방심을 틈타 어둠 속에서 전략적 우위를 점하기 위한 것이었습니다.

흥미롭게도 아폰수는 정복 준비 과정에서 교묘한 속임수를 사용했습니다. 그는 신뢰할 수 있는 산타렝 출신의 멤 라미레스(Mem Ramires)를 상인으로 위장시켜 산타렝 내에서 은밀하게 정보를 수집하도록 했고, 이는 도시의 방어와 취약성에 대한 중요한 통찰력을 제공하는 영리한 조치였습니다. 이 계산된 접근 방식은 아폰수의 전략적 선견지명과 목표 달성을 위해 색다른 방법을 기꺼이 사용하려는 의지를 강조했습니다.

한편 알모라비드(Almoravid) 수비대를 지휘한 인물은 산타렝의 총독 아우자리(Auzary)였습니다. 전투 중 아우자리의 구체적인 전술에 대해서는 알려진 바가 거의 없지만, 무어인 수비대가 포르투갈의 침공에 맞서 격렬하게 저항한 것은 분명합니다. 이 강력한 지도자들과 각 군대의 충돌은 이베리아 역사의 흐름을 바꿀 중대한 대결의 무대를 마련했습니다.

1147년 3월 14일 운명의 날 밤, 아폰수와 그의 용맹한 전사들은 어둠이 드리운 산타렝에 도착했습니다. 45명의 용감한 기사들이 사다리를 이용해 성벽을 오르고 방어선을 뚫고 들어와 무어인 보초병들을 재빨리 격퇴했습니다. 이들의 대담한 활약으로 포르투갈 본군은 도시로 진격하여 거리 곳곳에서 격렬한 시가전을 시작했습니다.

무어인 수비수들이 포르투갈 침략자들과 맞서기 위해 집결하면서 무기의 충돌음이 산타렘 전역에 울려 퍼졌습니다. 강력한 저항에 직면했지만 아폰수의 군대는 타의 추종을 불허하는 용맹함과 무술 실력을 보여줬고, 결국 압도적인 승리를 거두었습니다. 전투는 포르투갈의 결정적인 승리로 마무리되었고, 포르투갈은 무어인 수비대를 격파하고 아침이 오기 전까지 산타렝을 장악했습니다.

이 정복의 전략적 파급 효과는 매우 컸습니다. 아폰수 엔히크스는 산타렝을 포르투갈의 손에 군건히 쥐어줌으로써 남부 국경을 강화하고 코임브라(Coimbra), 레이리아(Leiria) 등 인근 영토에 대한 무어의 침략을 억제하는 중요한 목표를 달성했습니다. 또한 이 승리로 포르투갈은 무어의 주요 거점, 특히 리스본에 대한 후속 공세를 펼칠 수 있는 기반을 마련했습니다.

TOMADA
DE
SANTAREM

03 리스본 점령(1147)

23 de outubro de 1147
Tomada de Lisboa
Martim Moniz
1147년 10월 23일
리스본 점령
마르팀 모니즈

1144년 12월 24일, 거의 한 달 동안 지속된 포위 공격을 버티지 못하고 에뎃사(Edessa) 시가 함락되었습니다. 이 사건은 성지 내 기독교 세력에 큰 타격을 주었으며 십자군 국가의 약점을 드러내는 신호로 여겨졌습니다. 교황 유진 3세(Eugene III)는 1145년 무슬림에게 빼앗긴 영토를 되찾고 중동의 기독교 영토를 지키기 위해 제2차 십자군 원정을 요청했습니다. 그리고 1147년 봄, 교황은 이베리아 반도 내에서의 레콩키스타도 십자군 활동으로 인정한다고 승인했습니다.

1147년 5월, 영국의 십자군 파견대가 성지로 직접 항해할 목적으로 영국 다트머스에서 출발했습니다. 그러나 악화된 기상 조건으로 인해 포르투갈의 포르투 해안으로 배를 돌려 잠시 쉬어가기로 했습니다. 그곳에서 그들은 1139년 새로운 포르투갈 왕국의 왕으로 즉위한 포르투갈의 아폰수 1세를 만나게 됩니다.

십자군은 리스본의 재물을 약탈할 수 있는 권리를 보장받고, 만약 포로로 잡힐 경우 포르투갈에서 대신 몸값을 지불한다는 엄숙한 협정에 따라 아폰수 왕을 도와 리스본을 공격하기로 합의했습니다. 이로써 포르투갈의 역사를 바꿀 혁신적인 군사 작전이 시작되었습니다.

리스본 포위 공격에는 양쪽 모두 주목할 만한 지도자가 있었습니다. 포르투갈의 아폰수 1세는 포르투갈군과 십자군을 이끌었고, 상대편 바다호즈의 타이파(Taifa of Badajoz)는 무하마드 이븐 하캄이 이끌었습니다. 두 연합군(포르투갈군과 십자군)은 다양한 전술적 기동을 통해 도시를 포위했고, 결국 4개월 만에 도시가 항복했습니다.

기독교인들은 주변 영토를 점령하고 리스본 성벽 자체를 포위했습니다. 리스본 성 안에는 피난 온 사람들도 많았기 때문에 포위 공격으로 보급을 끊자 굶주임으로 고통받는 사람들이 늘어 항복을 강요하는 상황이 되었습니다. 이렇듯 공성탑의 사용과 성공적인 도시 포위 공격은 결국 항복을 이끌어내는 데 결정적인 역할을 했습니다.

리스본 함락은 지정학적으로 광범위한 영향을 미쳤습니다. 리스본 함락은 포르투갈-십자군 동맹의 중대한 승리를 의미했으며, 더 넓은 의미의 헤콩키스타에서 전환점이 되었습니다. 리스본 점령은 포르투갈 왕국의 힘을 강화했을 뿐만 아니라 이슬람 통치로부터 영토를 되찾기 위한 광범위한 노력에도 기여했습니다.

포위 공격의 여파는 주목할 만한 변화를 가져왔습니다. 영국에서 온 십자군 대부분은 새로 점령한 리스본에 정착하여 이베리아에서 기독교의 존재를 증가시켰습니다. 또한 영국과 포르투갈 간의 역사적인 관계가 형성되기 시작하여 영-포르투갈 동맹의 토대가 마련되었습니다. 리스본은 결국 1255년 포르투갈 왕국의 수도가 되어 포르투갈의 미래를 형성하는 데 있어 그 중요성을 확고히 했습니다.

마르팀 모니즈

마르팀 모니즈(Martim Moniz)는 1147년 리스본 정복에 중추적인 역할을 한 용감한 전사였다는 전설이 전해지고 있습니다. 전설에 따르면 마르팀 모니즈는 리스본을 포위하는 동안 상 조르즈(São Jorge) 성문이 닫히는 것을 막기 위해 성문 틈으로 자신의 몸을 던져 영웅적으로 희생했다고 합니다. 그의 이타적인 행동은 동료들에게 귀중한 시간을 벌어주었고, 아폰수 엔히크스 왕이 이끄는 기독교 군대가 성을 돌파하고 승리를 거둘 수 있게 해 주었습니다.

마르팀 모니즈의 전설은 여러 세대에 걸쳐 전해져 내려왔지만 그의 행적에 대한 역사적 기록은 거의 없습니다. 십자군 기사 오스베른(Osbern)과 아눌프(Arnulf)의 편지 같은 현대 자료에는 마르팀 모니즈나 그의 영웅적인 희생에 대한 언급이 없습니다. 저명한 역사학자 알렉산드르 에르쿨라누(Alexandre Herculano)는 이 이야기의 진실성에 의문을 제기하며 시간이 지남에 따라 꾸며진 이야기일 수 있다고 주장했습니다.

마르팀 모니즈의 지속적인 유산은 리스본의 지명에도 반영되어 있습니다. 리스본에는 그의 이름을 딴 광장과 거리가 있어 그의 용맹한 업적에 경의를 표하고 있습니다. 특히 상 조르즈(São Jorge) 성에는 리스본의 역사에서 전설적인 인물이 수행한 중추적인 역할을 영원히 기리는 모니즈의 문(Porta do Moniz)이 있습니다.

리스본의 활기찬 거리를 거닐다 보면 산타 마리아 마이오르(Santa Maria Maior) 교구에 있는 번화한 광장인 마르팀 모니즈 광장(Praça Martim Moniz)을 만날 수 있습니다. 인접한 마르팀 모니즈 길(Rua Martim Moniz)은 역사가 깃든 고풍스러운 거리를 제공합니다. 여정을 따라가다 보면 이 전설적인 인물의 유산을 고스란히 간직하고 있는 지하철역인 마르팀 모니즈 역(Estação Martim Moniz)에 도착할 수 있습니다.

마르팀 모니즈는 리스본의 역사를 관통하며 전설을 이어가는 수수께끼의 인물로 남아 있습니다. 그를 용맹함의 귀감으로 보든 민담의 산물로 보든, 이 전설적인 인물이 리스본의 유서 깊은 과거에 남긴 지울 수 없는 흔적은 부인할 수 없습니다.

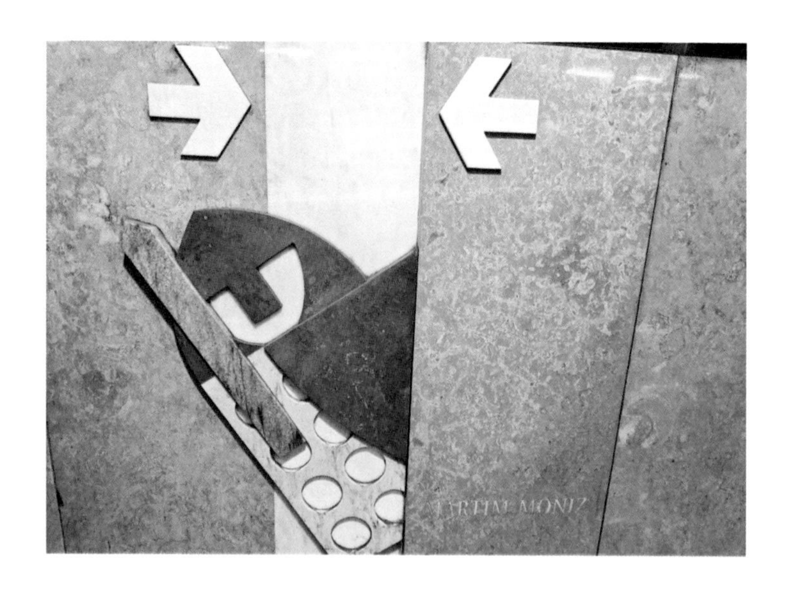

TOMADA
DE
LISBOA

04 알카세르 두 살 점령(1158)

24 de Junho de 1158
Tomada de Alcácer do Sal
D. Affonso II
1158년 6월 24일
알카세르 두 살 점령
아폰수 2세

알카세르 두 살(Alcácer do Sal)은 세투발(Setúbal) 지역에 위치한 인구 1만 3천 명 정도의 시입니다. 크기는 크지 않아도 기원전 1000년 이전에 페니키아인들이 건설한 유럽에서 가장 오래된 도시 중 하나입니다. 알카세르 두 살 성은 알렌테주 지역을 방어하는 전략적 요충지였으며 715년부터 아랍의 지배를 받고 있었습니다. 포르투갈의 초대 왕 아폰수 1세(Afonso I)가 이끄는 60명의 소규모 기사가 알카세르 두 살을 점령하려 했으나 수비대의 격렬한 격퇴에 실패했습니다. 이 지역은 수년 동안 포르투갈의 진격에 계속 저항하며 여러 차례 공격을 받았지만 산티아고 다 에스파다 기사단(Order of Santiago da Espada)의 도움으로 1158년 마침내 포르투갈의 지배를 받게 되었습니다.

이 지역의 방어와 정착을 강화하기 위해 포르투갈의 산슈 1세(Sancho I) 국왕은 1186년 이 마을과 성을 군대에 기부하는 중대한 결정을 내렸습니다. 그러나 칼리프 야쿱 알만수르의 지휘 아래 알모하드 칼리프 군대가 1190년에서 1191년 사이에 알가르브를 정복하고 알카세르 두 살, 파멜라, 알마다를 포르투갈 통치에서 탈환하면서 다시 이슬람 세력으로 넘어갔습니다.

알카세르 두 살과 그 성은 포르투갈의 세 번째 왕인 아폰수 2세(Afonso II) 왕의 통치 기간인 1217년에야 포르투갈의 영토로 확정되었습니다. 5차 십자군 군대의 지원을 받은 성벽 포위 공격은 1217년 10월 18일 수비대가 항복할 때까지 두 달 동안 지속되었습니다. 알카세르 두 살의 정복은 무슬림과의 전쟁이 올바른 방향으로 가고 있다는 신호로 유럽 전역에서 회자되었으며 포르투갈의 세 번째 왕의 통치 기간 동안 가장 중요한 업적이었습니다. 무슬림들이 난공불락이라고 생각했던 이 성이 포르투갈의 지배 하에 들어온 것은 당시 중요한 사건이었습니다.

역사를 통틀어 이 성은 포르투갈 역사에서 중요한 순간에 중요한 역할을 했습니다. 13세기에 디니스(Dinis I) 왕은 국가를 요새화하려는 대규모 노력의 일환으로 성을 확장하고 방어를 강화했습니다. 갈등과 정치적 불안정의 시기였던 1383~1385년의 위기(Interregnum, 포르투갈 왕위 공백기) 동안 이 마을과 성은 아비스 기사단의 주앙 1세(João I) 편에 서서 누누 알바레스 페레이라(Nuno Álvares Pereira) 장군의 지휘 아래 군대가 주둔했습니다.

15세기, 주앙 2세와 마누엘 1세의 통치 기간 동안 이 성은 역사적 중요성을 더하는 흥미로운 에피소드를 목격했습니다. 왕권 강화를 꾀했던 주앙 2세(João II)가 비제우 공작 디오구(Diogo)가 꾸민 암살 음모에 대한 정보를 입수한 곳이 바로 이 곳이었습니다. 또한 마누엘 1세(Manuel I) 왕은 1500년 카스티야의 인판타 마리아와 두 번째 결혼을 위해 이곳을 선택했습니다.

TOMADA
DE
ALCACER DO SAL

05 에보라 점령(1166)

30 de Novembro de 1166
Reconquista D'Evora (episodio lendario)
Geraldo Sem Pavor
1166년 11월 30일
에보라 점령
용맹한 제랄두

에보라(Évora)는 알렌테주(Alentejo) 지역의 중심도시로 5천 년 이상의 역사를 지녔습니다. 구시가는 중세 성벽으로 둘러쌓여 잘 보존되어 있고, 로마 사원을 포함하여 역사적 문화재도 많아서 유네스코 세계문화유산으로 지정된 도시이기도 합니다.

에보라 전투는 1166년 11월 30일에 벌어진 포르투갈 역사상 전설적인 전투로, 헤콩키스타 데보라(Reconquista D'Evora)라고도 불립니다. 이 전투는 이름에서도 짐작할 수 있듯이 이베리아 반도의 기독교 왕국들이 이 지역을 지배하기 위해 노력했던 역사적 과정인 헤콩키스타(Reconquista)의 맥락에서 벌어진 전투였습니다.

에보라 전투는 무어인들과 포르투갈인 사이에 벌어진 전투로, 알렌테주 지방의 여러 도시를 정복하는 데 중요한 역할을 한 제랄두 셍 파보르(Geraldo Sem Pavor, 용맹한 제랄두)가 이끄는 포르투갈군이 승리했습니다. 이 전투는 16세기까지 왕국에서 두 번째로 중요한 도시가 된 에보라 시의 새로운 성장 단계의 시작을 알렸다는 점에서 중요한 의미를 가집니다.

제랄두는 민병대를 조직하여 무슬림 요새를 기습하는 전술을 개발해 큰 성공을 거둔 인물입니다. 역사가에 따르면 그는 보초병의 시야를 가리는 겨울이나 폭풍우가 치는 날 밤에 기습하는 것을 즐겨했다고 합니다. 소수의 정예병사들이 은밀하게 성벽을 올라, 보초병을 해치우고 성문을 열어 본대가 성 안으로 진입할 수 있도록 하는 것입니다.

제랄두의 공로로 빼앗은 알렌테주와 에스트레마두라(Extremadura) 지역의 여러 성들은 이후 이슬람 세력에 의해 거의 다시 빼앗겼지만 에보라 만큼은 포르투갈의 영토로 편입된 이후 한 번도 다시 빼앗기지 않고 지켰던 유일한 지역입니다.

제랄두의 연이은 승리로 포르투갈의 동쪽 확장이 계속되자 레온 왕국의 남쪽 확장과 충돌을 할 수 밖에 없습니다. 그러던 1169년 초여름, 제랄두는 바다호즈(Badajoz)라는 중요한 도시를 점령했지만 레온 군대에 포위를 당해 위험한 상황에 처했습니다. 포르투갈의 초대왕 아폰수 1세는 제랄두도 구하고, 동쪽 지역의 주요한 도시들을 포르투갈 영토로 편입할 목적으로 바다호즈로 왔다가 레온의 군대와 만나게 되었습니다. 싸우던 중 말에서 떨어지면서 성문에 부딪히게된 아폰수 1세는 다리 불구가 되었고, 레온 병사들에게 잡혀 포로가 되었습니다. 아폰수 1세는 몸값으로 지난 몇년 간 미뉴(Minho) 강 북쪽인 갈리시아 지역의 정복지들을 포기해야만 했습니다. 이 사건을 포르투갈 역사의 비극 중 하나인 바다호즈의 재앙(o Desastre de Badajoz)이라고 부릅니다.

1172년 점령지의 처리문제로 제랄두와 아폰수 1세의 사이가 멀어지는 일이 생깁니다. 지원도 끊기고 재정적으로도 곤란해진 제랄두는 세비야로 가서 칼리프에게 충성을 맹세하게 됩니다. 제랄두를 포르투갈로 멀리 떨어뜨려 놓고 싶었던 칼리프는 제랄두를 모로코로 보낸 후 남부 알수스(Al-Sūs) 지역의 총독 자리를 줍니다. 하지만 제랄두는 이 지역을 포르투갈의 모로코 침공의 전진기지로 사용하자는 제안을 전 군주인 아폰수 1세에게 편지로 썼다가 걸려서 체포되고 참수당했습니다. 정황상 처음부터 아폰수 1세가 제랄두를 스파이로 사용한 것이 아니냐는 의견이 있습니다.

에보라의 그림 같은 거리를 거닐다 보면 제랄두의 영향력을 증명하는 수많은 역사적 랜드마크를 만나게 됩니다. 에보라 외곽에 있는 용맹한 제랄두 동상은 그의 대담한 정신을 기리기 위해 세워진 동상으로, 무어인의 목을 베는 제랄두의 모습을 극적으로 묘사하여 그의 군사적 기량을 보여줍니다.

RECONQVISTA D'EVORA
(EPISODIO LENDARIO)

06 실브스 점령(1142)

9 de Janeiro de 124
Tomada de Silves
D. Affonso III
1242년 1월 9일
실브스 점령
아폰수 3세

알가르브(Algarve) 지역은 오늘날 포르투갈 최남단 지역입니다. 포르투갈의 두 번째 왕 산슈 1세(Sancho I)가 1189년 알가르브의 실브스(Silves)를 점령했지만 1191년 무슬림 군대의 대반격으로 인해 에보라(Évora)를 제외한 테주(Tejo) 강 남쪽의 영토를 다시 상실하게 됩니다. 큰 좌절을 겪은 포르투갈 귀족들은 재탈환에 대한 의욕을 상실하여 자신들이 직접 나서기보다 가톨릭 기사단과 용병부대를 통해 해결하기를 원했습니다.

1234년 산티아고 기사단 그랜드 마스터는 테주 강 남쪽 알렌테주와 알가르브 지역을 정복하기로 결심하고, 파이우 페레스 코레이아(Paio Peres Correia) 마스터에게 병력과 자원을 몰아주었습니다.

1242년 1월 9일 벌어진 실브스(Silves) 전투는 당시 산티아고 기사단의 마스터인 파이오 페레스 코레이아(Paio Peres Correia)가 지휘했습니다. 이를 위해 그는 대규모 병력으로 에스톰바(Estômbar)를 포위할 준비를 하고 있다는 거짓 소문을 퍼뜨리는 속임수를 사용했습니다. 그리고 그는 소규모 부대를 보내 에스톰바를 공격했습니다. 니에블라 타이파의 영주 이븐 마푸즈(Ibn Mahfuz)가 에스톰바 방어를 위해 대부분의 병력을 이끌고 실브스를 떠났다는 사실을 알게 된 코레이아는 실브스를 공격하여 성벽을 무너뜨리는 데 성공했습니다. 이븐 마푸즈가 군대를 이끌고 돌아왔지만, 재탈환할 수단이 없자 철수했습니다. 이 승리는 결국 포르투갈 국가의 일부로 알가르브 왕국이 설립되는 데 중요한 역할을 했습니다.

이러한 군사적 성과는 1249년 아폰수 3세가 이 지역을 완전히 점령하면서 알가르브에서 무어인의 통치를 최종적으로 추방하는 데 기여했습니다. 따라서 1242년 실브스의 함락은 포르투갈 정복과 알가르브에 대한 포르투갈의 주권 확립에 결정적인 계기를 마련했다고 할 수 있습니다..

알가브르 정복에 혁혁한 공을 세운 파이오 페레스 코레이아는 한정된 자원을 효율적이고 전략적으로 사용함으로써 산맥을 횡단하거나 산악 요새를 점령해야 하는 어려움을 피했습니다. 뿐만 아니라, 교단에서 감당할 수 없을 정도의 오랜 시간과 비용이 드는 포위 공격 없이도 알가르브 대부분을 점령할 수 있었습니다. 대신 그는 기습공격, 기만전술, 빠른 시간의 전격전(Blitzkrieg)을 선호했습니다.

TOMADA
DE
SILVES

07 파루 정복(1249)

Março de 1249 Conquista de Faro D. Sancho II 1249년 3월 파루 정복 아폰수 3세(아줄레주 정보가 틀렸습니다)

1249년 파루 정복은 이베리아 반도에서 포르투갈 헤콩키스타의 정점을 찍었던 중요한 순간이었습니다. 포르투갈이 과디아나(Guadiana) 계곡과 알가르브 동쪽 지역을 점진적으로 정복하면서 파루 포위 공격의 발판이 마련되었습니다. 메톨라(Mértola), 타비라(Tavira), 아야몬테(Ayamonte), 카셀라(Cacela) 등의 도시가 함락되고 1248년 세비야(Seville)가 점령되면서 니에블라 타이파의 영주 이븐 마흐푸즈(Ibn-Mahfuz)는 고립되고 취약한 상황에 놓이게 됩니다.

파루 역시 처음에는 모로코의 지원군을 기대하며 활발한 저항을 했지만 항구가 포르투갈 군대에 의해 막히게 되자 더 이상 지원군을 기대할 수 없을 정도로 고립되었습니다. 지원의 희망이 사라진 것을 확인한 파루의 지도자는 항복을 통해 무의미한 유혈 사태를 피하고 남은 주민들의 안전을 확보하게 됩니다.

이번 파루 정복은 산티아고 기사단의 마스터 파이오 페레스 코레이아(Paio Peres Correia) 뿐만 아니라 아폰수 3세(Afonso III)가 직접 참여했을 가능성도 있다고 합니다. 그리고 이번 정복에는 산티아고 기사단, 아비스 기사단 뿐만 아니라 귀족 가문들의 장자가 아닌 후순위 아들 또는 서자들이 많이 참여했습니다. 이들은 장자에 비해 상속을 크게 기대하기 힘들기에 전쟁에서 공을 세워 보상을 얻고자 하는 동기가 컸습니다.

파루를 마지막으로 아폰수 3세는 알가르브 정복을 성공적으로 완수하고 60년 전 산슈 1세(Sancho I)가 실브스(Silves) 도시를 점령하면서 처음 확립한 '포르투갈과 알가르브의 왕'이라는 칭호를 되찾았습니다.

알가르브에 대한 포르투갈 왕들의 권리 주장에도 불구하고 이븐 마푸즈는 카스티야의 페르난도 3세의 속국임을 선언했고, 페르난도 3세 역시 이 지역에 대한 영유권을 주장했습니다. 이로 인해 포르투갈과 카스티야 사이에 외교적 분쟁이 발생했지만, 결국 1267년 바다호즈(Badajoz) 조약이 체결되면서 해결되었습니다. 이 조약은 아폰수 3세의 알가르브 지역에 대한 권리를 인정하고 과디아나(Guadiana) 강을 따라 포르투갈-카스티야 국경을 설정했습니다.

CONQVISTA
DE
FARO

08 살라두 전투(1340)

30 de Outubro de 1340
Batalha do Salado
D. Affonso IV
1340년 10월 30일
살라두 전투
아폰수 4세

페즈(Fez)와 모로코(Morocco)의 왕인 알보아셈 알리 이브네 오토망(Alboácem Ali ibne Otomão)은 그라나다(Granada)의 에미르(emir)와 동맹을 맺어 어떤 대가를 치르더라도 기독교 세력이 점령한 영토를 되찾으려 했습니다. 하지만 이슬람 세력의 상륙을 막아야 할 카스티야의 해군 함대가 폭풍으로 박살이 나자, 카스티야의 알폰소 11세는 말 그대로 궁지에 몰리게 되었습니다. 그래서 장인인 포르투갈의 아폰수 4세의 도움이 절실해졌습니다.

문제는 알폰소 11세가 애인 레오노르(Leonor de Gusmão)와 불륜을 하느라 마리아 왕비를 세비야에 있는 수녀원에 집어넣고 독수공방시킨 잘못을 했다는 것입니다. 남편에 대한 불만이 컸음에도 착한 마리아는 망나니 남편 알폰소 11세를 대신해 아버지인 포르투갈의 아폰수 4세에게 간청했습니다. 아폰수 4세는 사위에게 본보기를 보여주기 위해 몇 번의 밀당을 하다가 결국 딸바보 답게 모든 앙금을 풀고 지원병력과 함께 세비야에서 3자 회담을 하게 됩니다. 그리고 전투 전날 회의를 열어 카스티야의 알폰소 11세는 모로코 군대와 싸우고, 포르투갈의 아폰수 4세는 그라나다 군대와 싸우기로 전략을 짰습니다.

1340년 10월 30일 새벽, 카스티야 기병대가 먼저 살라두 강을 건너면서 전투가 시작되었습니다. 그리고 곧이어 알폰소 11세가 이끄는 대규모 병력이 진격을 시작하여 치열한 전투가 벌어졌습니다. 포르투갈 군대는 그라나다 군대의 치열한 수비에 고전을 겪기도 했지만 결국 양 측 모두 큰 승리를 거두게 됩니다. 패전한 모로코 왕과 그라나다 왕의 야영지에서 엄청난 양의 귀중품과 무기들을 획득할 수 있게 되었고, 사위를 도와 대승을 거둔 포르투갈의 아폰수 4세는 의기양양하게 포르투갈로 복귀하게 되었습니다. 훗날 아폰수 4세에게 '용감한 왕(o Bravo)'이라는 별명이 붙은 이유는 바로 이 살라두 전투에서 그가 보인 놀라운 업적 때문입니다.

살라두에서의 승리는 지정학적으로 광범위한 영향을 미쳤습니다. 이 전투는 이슬람 세계에 충격을 주었고, 이슬람 군대의 사기를 떨어뜨리는 동시에 유럽의 기독교 왕국들 사이에 열렬한 열정을 불러일으켰습니다.

BATALHA DO SALADO

09 아톨레이루스 전투(1384)

6 de Abril e 1384
Batalha dos Atoleiro
D. Joao I
1384년 4월 6일
아톨레이루스 전투
주앙 1세

1384년 4월 6일, 현재의 포르투갈 지방 자치 단체인 프론테이라(Fronteira)에서 벌어진 아톨레이루스(Atoleiros) 전투의 의미를 제대로 이해하려면 1383~1385년의 복잡하고 흥미진진한 배경을 살펴봐야 합니다. 페르난두 1세 국왕에게는 베아트리즈(Beatriz) 공주 외에 다른 왕위계승자가 없었고, 베이트리즈 공주는 옆나라 카스티야의 후안 1세(Juan I)와 결혼하게 됩니다. 흥미로운 건 이 둘 사이에서 태어난 후계자가 포르투갈의 왕권도 함께 갖게 되지만 그 아이가 14세가 될 때까지는 페르난두 1세의 왕비인 레오노르 텔레스(Leonor Teles)가 포르투갈의 섭정을 맡게 된다는 조약(Tratado de Salvaterra de Magos)이 결혼의 조건으로 맺어졌습니다.

1383년 10월 22일 페르난두 1세가 사망하자 조약대로 왕비인 레오노르 텔레스가 포르투갈의 섭정을 맡게 되었습니다. 레오노르에게는 주앙 페르난데스 안데이루(João Fernandes Andeiro)라는 애인이 있었는데 이 둘의 통치에 포르투갈 국민들의 불만이 많았고, 머지 않아 포르투갈의 주권이 카스티야로 넘어갈 가능성이 높다는 것에 대해서도 불안감이 커지는 상황이었습니다.

그때 새롭게 떠오르는 인물이 바로 아비스(Avis) 기사단의 마스터 주앙(João)이었습니다. 그는 페르난두 1세의 아버지이자 선대 왕인 페드루 1세의 사생아였습니다. 1383년 12월 6일 주앙은 지지자들과 함께 레오노르 왕비의 애인 안데이루를 암살하면서, 포르투갈 왕국의 섭정을 하겠노라고 주장했습니다.

그 사이 레오노르 왕비는 자신의 지지기반인 산타렝(Santarém)으로 피신한 후 다시 권력을 되찾기 위해 안간힘을 썼습니다. 하지만 그게 여의치 않자 섭정을 스스로 포기하여 사위인 옆나라 카스티야의 후안 1세가 포르투갈 왕권을 주장할 수 있는 명분을 만들어 주게 됩니다. 한편 후안 1세는 스스로 섭정을 포기한 장모 레오노르를 바야돌리드 근처의 토르데시야스 수녀원에 죽을 때까지 가둬 두었다고 합니다.

카스티야의 후안 1세는 자신이야말로 포르투갈의 적법한 왕이라고 생각했으며, 반대의견을 가진 반란을 진압하기 위해 군대를 보냈습니다. 포르투갈의 새로운 섭정 주앙은 누누 알바레스 페레이라(Nuno Álvares Pereira)에게 군사지휘권을 맡기며 침공하는 카스티야 군대를 저지하라는 명령을 내렸습니다. 카스티야의 군대는 보병 3000명과 기병 2000명으로 구성된 것에 반해, 포르투갈의 군대는 보병 1000명에 영국에서 온 창기병 300명, 석궁병 100명으로 구성되어 상대적으로 크게 열세였습니다..

아톨레이루스에 군대가 집결하자 누누 알바레스 페레이라는 카스티야 군대의 수적 우위를 무력화할 수 있는 지형 선택과 병력 배치를 능숙하게 수행하며 뛰어난 전략적 능력을 발휘했습니다. 보병과 함께 영국 창병들을 신중하게 배치하여 카스티야 기병의 맹렬한 공격을 견딜 수 있는 강력한 방어 진형을 구축했습니다.

1384년 4월 6일 전투가 시작되자 누누 알바레스 페레이라 장군의 전략대로 영국의 창기병이 카스티야의 기병에 맞서 큰 이득을 거두게 됩니다. 기세가 꺾인 카스티야 군대는 하루종일 포르투갈에 추격당하며 큰 손실을 입고 퇴각하게 됩니다. 놀라운 점은 3배가 넘은 열세임에도 포르투갈 군대의 사망자는 1명도 기록되지 않았다는 것입니다.

아톨레이루스(Atoleiros) 전투는 1383~1385년 왕위공백위기에 일어난 최초의 전투이자 포르투갈의 첫 번째 승리였습니다. 포르투갈이 아톨레이루스에서 거둔 승리의 함성은 이베리아 반도 전역에 울려 퍼졌고, 포르투갈의 주권과 독립에 대한 도전적인 주장을 알리는 신호탄이 되었습니다.

리스본 포위공격(Cerco de Lisboa)(1384년)

아톨레이로스(Atoleiros) 전투의 패배 이후 카스티야의 후안 1세는 직접 군대를 이끌고 포르투갈에 들어와 리스본을 포위하는데 성공합니다. 이 포위공격은 1384년 5월 29일부터 9월 3일까지 계속되었습니다. 카스티야의 포위 공격은 육지와 해상 모두에서 진행되었습니다.

리스본 안에서는 포르투갈의 주앙 1세가 직접 리스본 외곽의 요새화와 도시 방어를 지휘하며 저항했고, 카스티야의 포위 밖에서는 포르투갈의 군사령관 누누 알바레스 페레이라(Nuno Álvares Pereira)가 끊임없이 치고 빠지며 카스티야 군대를 괴롭히고 있었습니다. 1384년 7월 18일에는 포르투에서 출발한 포르투갈 함대가 보급품을 싣고 와 리스본 입구인 테주 강에서 해상봉쇄를 하고 있던 카스티야 해군과 맞붙어 배 세 척을 잃고 다수의 사상자를 발생하기도 했지만 결국 봉쇄를 뚫고 들어와 소중한 식량을 리스본에 전달하는데 성공하는 결정적인 사건도 있었습니다.

카스티야 군의 리스본 포위는 4개월이 지난 9월 3일에 풀 수 밖에 없었는데 흑사병으로 인해 카스티야 군대에 엄청난 수의 사망자가 발생했기 때문입니다. 물론 포르투갈의 끈질긴 반격도 한 몫을 한 것은 분명합니다.

BATALHA
DOS
ATOLEIROS

10 알주바호타 전투(1385)

14 de Agosto de 1385
Batalha de Aljubarrota
Condestavel D. Nuno Alvares Perreira
1385년 8월 14일
알주바호타 전투
누누 알바레스 페레이라

1385년 8월 14일에 벌어진 알주바호타 전투(Batalha de Aljubarrota)는 포르투갈 역사에서 가장 중요한 사건 중 하나로 꼽힙니다. 포르투갈과 카스티야 세력 간의 이 역사적인 충돌은 이베리아 반도와 그 너머의 미래를 결정짓는 광범위한 영향을 미쳤습니다.

이 분쟁의 중심에는 두 명의 주요 인물이 있었습니다: 포르투갈의 주앙 1세(João I)와 카스티야의 후안 1세(Juan I). 포르투갈의 주앙 1세는 군사령관 누누 알바레스 페레이라와 함께 포르투갈 군대를 이끌었고, 카스티야의 후안 1세는 반대편에 있던 카스티야 군대를 지휘했습니다. 포르투갈은 영국으로부터 결정적인 지원을 받았고 카스티야는 프랑스와 아라곤 왕국의 지원을 받는 등 전략적 동맹은 똑같이 중요했습니다.

후안 1세가 직접 지휘했던 리스본 포위공격(Cerco de Lisboa)이 흑사병과 포르투갈의 끈질긴 반격으로 실패로 돌아간 후 이듬해인

1385년 6월 다시 한 번 침공을 결심하게 됩니다. 이번에는 카스티야 군대는 물론 프랑스 기병대까지 지원을 받아 제대로 준비를 했습니다(약 3만 명). 포르투갈 역시 백년전쟁으로 경험이 많은 영국 군인 600명의 지원을 받은 상태였습니다(약 7천 5백 명).

전투는 알주바호타 인근 들판에서 벌어졌으며, 영국 동맹군의 지원을 받은 포르투갈 군대는 진격하는 카스티야 군대를 차단하기 위한 전략적 요충지에 배치되었습니다. 누누 알바레스 페레이라가 내린 주요 전술적 결정 중 하나는 로마 군단 전술을 연상시키는 유리한 지형을 선택하고 방어 요새를 사용한 것이었습니다. 이러한 전략적 우위를 바탕으로 포르투갈은 프랑스 기병대의 초기 공격을 성공적으로 격퇴하여 전투의 중요한 전환점을 마련할 수 있었습니다.

전투가 전개되면서 포르투갈 군대는 전진하는 카스티야 군대에 대응하기 위해 능숙하게 기동하여 카스티야의 공격을 효과적으로 무력화시키고 많은 사상자를 냈습니다. 누누 알바레스 페레이라와 주앙 1세의 지휘 아래 포르투갈군이 카스티야 군대의 사기를 무너뜨리는 조직적인 공격을 감행하면서 카스티야 군대에 혼란과 무질서를 가져다주었고, 결국 카스티야의 패배로 이어졌습니다. 알주바호타에서의 대승으로 주앙 1세는 포르투갈 왕좌를 굳건히 지켰고, 1383~1385년 위기는 결정적으로 종식되었습니다.

알주바호타 전투는 포르투갈의 독립을 공고히 하고 주앙 1세가 확실한 통치자로 자리매김한 전투로 지정학적으로 중대한 영향을 미쳤습니다. 전투의 여파로 바탈랴(Batalha) 수도원이 건설되고 바탈랴(Batalha) 마을이 세워지는 등 문화적, 사회적으로 큰 영향을 미쳤으며, 승리에 대한 신의 도움에 대한 감사의 상징으로 바탈랴 수도원이 세워졌습니다.

이 결정적인 전투의 영향은 포르투갈에 전례 없는 안정과 성장의 길을 열어주면서 경제 및 사회 전반에 걸쳐 큰 반향을 불러일으켰습니다. 알주바호타 전투의 승리를 통해 맺어진 영국과의 동맹은 포르투갈의 미래를 좌우할 지속적인 외교 및 경제 관계의 토대를 마련했습니다. 이 포르투갈-영국간의 동맹은 현재까지 유효한 세계에서 가장 오래된 외교 동맹이 되었습니다.

알주바호타 빵집 아줌마

알주바호타의 빵집 아줌마라고도 알려진 브리트스 드 알메이다(Brites de Almeida)는 1385년 알주바로타 전투에서 카스티야 군대에 맞서 포르투갈이 승리한 것과 관련된 전설적이고 영웅적인 포르투갈의 인물입니다.

1350년 파루(Faro)에서 가난한 부모 사이에서 태어난 그녀는 20살 때 부모가 죽자 남은 재산을 팔아 여행을 떠났다고 합니다. 이곳저곳 시장을 떠돌며 살았다고 하는데, 구혼자를 직접 칼로 찔러 죽였다는 이야기부터, 알제리 해적에 잡혀 노예로 팔렸다가 스페인으로 도망쳐 나오기도 하는 등 믿기 힘든 모험을 하다가 결국 알주바호타에 정착해 빵집을 열었다고 합니다.

.전설에 따르면 그녀가 전투를 돕기 위해 빵집을 비운 사이에 도망쳐온 카스티야 병사 일곱 명이 몰래 숨어들었다고 합니다. 돌아온 그녀가 빵집 문이 잠겨있는 것을 의아하게 여긴 후 빵집 안을 수

색하다 이들이 오븐 안에 숨어 있는 것을 발견하고 빵 굽는 주걱으로 이들을 때려 죽였다고 합니다. 역사학자들은 브리트스의 이야기를 전설로 간주하지만, 그녀는 포르투갈 노래와 전통 이야기에서 유명한 여주인공이 되었습니다. 1927년에는 포르투갈에서 우표로도 발행되었다고 하네요.

14
DE
AGOSTO
DE
1385
BATALHA
DE
ALJVBARROTA

11 세우타 정복(1415)

20 de Agosto de 1415
Conquista de Ceuta
Infante D. Henriques
1415년 8월 20일
세우타 정복
엔히크 왕자

1415년 포르투갈이 주앙 1세(João I)의 지휘 아래 세우타(Ceuta)를 정복한 것은 포르투갈 역사에서 중요한 순간으로 지정학적, 문화적, 경제적으로 광범위한 영향을 미쳤습니다. 이 결정적인 전투는 포르투갈의 해양 탐험과 식민지 확장 시대를 열었을 뿐만 아니라 지중해 지역의 세력 균형에도 큰 영향을 미쳤습니다.

세우타 정복은 전략적 야망과 영토 확장에 대한 열정에 뿌리를 둔 신중하게 조율된 노력이었습니다. 북아프리카의 해안 도시인 세우타는 지브롤터 해협에 위치한 전략적 위치로 인해 매우 중요한 의미를 지니고 있었습니다. 지정학적 관점에서 세우타를 정복하면 포르투갈은 수익성 높은 아프리카 횡단 무역로에서 중요한 거점을 확보하고 향후 해양 진출의 발판이 될 수 있었습니다. 게다가 세우타 점령은 주변 강대국, 특히 카스티야의 영향력을 견제하려는 포르투갈의 열망과도 일치했습니다.

주앙 1세는 엔히크 왕자(훗날 항해왕으로 알려진)와 페드루(Pedro) 왕자와 같은 주요 인물들의 지지를 얻으며 정복의 토대를 꼼꼼하게 마련했습니다. 군대 모집, 병참 준비, 원정대의 진짜 목표를 감추기 위한 외교적 계략 등 다방면으로 준비했습니다. 가짜 대사관과 비밀 정찰을 포함한 정교한 계략은 포르투갈의 기민한 외교 및 첩보 작전을 보여 주었고, 임박한 군사 작전의 발판을 마련했습니다.

필리파 왕비가 원정을 떠나기 직전에 흑사병에 걸렸습니다. 그녀는 자녀들을 축복하고 보석이 박힌 검과 참 십자가의 일부를 주면서 신앙을 지키고 의무를 다하라고 가르쳤습니다. 비록 결혼 전에는 필리파와의 결혼을 망설였다는 주앙 1세는 아내를 너무나 사랑했고 아내가 병으로 쓰러지자 깊은 슬픔에 빠졌습니다. 필리파 여왕의 사망으로 세우타 원정이 취소될 뻔했지만 계획대로 진행되었습니다.

포르투갈 함대가 세우타 항구에 도착하자, 세우타 총독은 여성과 어린이를 대피시키고 지역 주민들을 소집해 방어에 나섰습니다. 한 차례 충돌이 있기는 했지만 강한 바람에 포르투갈 함대가 뒤로 물러나자 세우타 총독은 더 이상 포르투갈의 공격이 없을 것이라 오판하고 인근에서 모였던 지원병력을 모두 해산시키는 치명적인 오판을 하고 맙니다.

1415년 8월 21일 아침, 주앙 1세 왕은 군대에 세우타 시를 공격하라고 명령했습니다. 엔히크 왕자가 이끄는 포르투갈 군대는 도시에 침투하는 데 성공했고, 결국 세우타는 포르투갈의 수중에 떨어졌습니다. 대부분의 주민들은 도망치거나 전투에서 사망했습니다. 세우타 총독은 전투가 한참 진행되던 중 더 이상 지킬 수 없다고 판단하고는 몇 명의 부하들과 가족들을 데리고 그곳을 떠나 도망가버렸습니다.

세우타 정복은 지정학적 지형에 큰 반향을 불러일으키며 북아프리카와 지중해 지역에서 포르투갈의 새로운 영향력 시대를 예고했습니다. 포르투갈의 세우타 정복은 전략적 요충지를 확보했을 뿐만 아니라 카스티야와 같은 라이벌 세력의 지배력에 도전하면서 힘의 균형을 재편했습니다. 사회적으로도 이 정복은 탐험과 기업가 정신을 불러일으켜 여러 세대의 포르투갈 항해사와 탐험가들이 미지의 바다로 모험을 떠나도록 영감을 주었습니다.

CONQVISTA
DE
CEVTA

12 아르질라 점령(1471)

21 de Agosto de 1471
Tomada de Arzila
D. Afonso V
1471년 8월 21일
아르질라 점령
아폰수 5세

포르투갈의 북아프리카에 대한 집착은 1415년 세우타(Ceuta) 정복으로 촉발되었으며, 이는 이 지역에서 포르투갈의 영향력을 확대하기 위한 끊임없는 노력의 시작을 알렸습니다. 특히 탕헤르(Tânger)는 포르투갈이 탐내는 지역으로 떠올랐고, 여러 차례 정복 시도가 실패로 돌아갔습니다. 탕헤르를 점령해야 하는 어려운 과제에 직면한 포르투갈은 전략적으로 아르질라를 모로코의 다른 지역으로부터 탕헤르를 고립시키기 위한 중요한 발판으로 삼았습니다. 이 결정은 앞으로 몇 년 동안 전개될 중요한 군사 작전의 발판이 되었습니다.

1471년 무슬림이 통치하던 모로코는 성전을 주장하는 운동의 부활과 여러 군 지도자 간의 권력 다툼으로 인해 불안정한 상황이 지속되었습니다. 이러한 모로코 내 불안과 내부 분쟁의 환경은 외부 세력, 특히 포르투갈이 영향력을 행사하고 영토 야망을 확장할 수 있는 기회의 창을 만들었습니다.

무슬림 모로코의 격동적인 배경 속에서 포르투갈은 아폰수 5세(Afonso V)의 지도력 아래 지배권을 주장하고 해양 영향력을 확대하려는 야망을 품고 있었습니다. 모로코의 해안 거점인 아르질라(Arzila)의 전략적 중요성은 포르투갈이 영토 확장을 위한 중추적인 거점으로 삼으려는 포르투갈의 관심을 끌었습니다. 포르투갈은 아르질라가 해양력을 강화할 뿐만 아니라 이 지역의 광범위한 지정학적 작전을 위한 발판 역할을 할 전략적 관문으로 예견했습니다.

포르투갈 함대가 아르질라 해안에 접근하자 위험한 해안 지형과 험난한 해상 조건으로 인해 엄청난 도전에 직면하게 되었습니다. 완벽한 해상 공격을 계획했던 초기 계획은 격렬한 해류와 혹독한 날씨로 인해 좌절되었고, 포르투갈 군대의 회복력과 적응력을 시험하는 예상치 못한 장애물이 되었습니다.

해상 접근 과정에서 역경에 직면했지만 포르투갈 군대는 인내심을 갖고 대담하게 상륙을 시도했고, 격렬한 바다의 위험을 무릅쓰고 육지에서 치열한 전투를 벌였습니다. 이 격렬한 상륙 작전은 양측이 패권을 차지하기 위해 끊임없이 충돌하면서 치열한 통제권 투쟁이 시작되었음을 의미했습니다. 이 전투의 격렬함은 포르투갈 침략자와 아르질라를 지키려는 양측이 얼마나 큰 위험을 무릅쓰고 굳건한 결의를 보였는지를 잘 보여주었습니다.

지칠 줄 모르는 전투와 흔들리지 않는 결단력으로 며칠을 버틴 포르투갈군은 아르질라의 방어선을 뚫는 데 성공하며 승리를 거두었고, 이는 전쟁의 결정적인 전환점이 되었습니다.

아르질라 정복은 궁극적으로 탕헤르 포위 공격의 길을 열었을 뿐만 아니라 북아프리카에서 포르투갈의 영향력을 확대할 수 있는 발판을 마련했다는 점에서 지정학적으로 광범위한 영향을 미쳤습니다.

그 후의 이야기

아르질라 요새는 1550년 사디아인 지도자 마오메 악세크(Muhammad Axeique)가 페즈(Fez, 모로코 중북부의 도시)를 정복한 후 포르투갈 군에 의해 버려졌습니다. 주앙 3세가 세우타(Ceuta)와 탕헤르(Tânger)만 유지하기로 하고 철수를 결정했기 때문입니다.

1577년 세바스티앙 왕이 모로코 정복을 시도하기 위해 상륙한 후 1578년 알카세르-퀴비르(Alcácer-Quibir) 전투가 벌어졌는데 그때부터 1589년까지 다시 포르투갈에 의해 점령되었습니다. 1589년 포르투갈의 필리프 1세(Filipe I)는 아르질라를 사드의 술탄 알만소르(Almançor)에게 돌려주었습니다.

TOMADA
DE
ARZILA

13 희망봉 발견(1487)

Setembro de 1487
Descoberta do Cabo da Boa Esperança
Bartolomeu Dias
1487년 9월
희망봉 발견
바르톨로메우 디아스

바르톨로메우 디아스(Bartolomeu Dias)는 1450년경 포르투갈에서 태어났는데, 이 시기는 아직 세계가 미지의 세계로 가득 차 있던 신비로운 시기였습니다. 그의 초기 생애에 대해서는 알려진 바가 거의 없지만, 그의 이름은 곧 탐험과 해양 모험의 대명사가 되었습니다. 유럽인 최초로 아프리카 남단을 돌아 인도양으로 항해하는 등 유럽 팽창의 방향을 바꿀 기념비적인 업적을 달성하면서 그의 유산은 더욱 확고해졌습니다.

1487년, 포르투갈 주앙 2세(João II)의 명령으로 바르톨로메우 디아스는 인간의 인내와 항해술의 한계를 시험하는 역사적인 항해를 떠났습니다. 그의 임무는 두 가지였는데, 공식적인 목적은 전설적인 기독교 왕 프레스터 존(Prester John)을 찾는 것이고, 숨겨진 비밀 목적은 인도의 풍요로운 땅으로 향하는 항로를 찾아 남부 아프리카 해안선을 탐험하는 것이었습니다. 디아스는 흔들리지 않는 결단력과 확고한 선원들과 함께 리스본에서 출발했습니다.

디아스의 여정은 시작부터 난관으로 가득했습니다. 그의 함대는 아프리카 연안의 위험한 바다를 항해하는 동안 사나운 폭풍과 거센 바람을 만나며 결연한 의지를 시험받았습니다. 디아스와 그의 선원들은 이러한 험난한 상황 속에서 아프리카 최남단, "폭풍의 곶(Cape of Storms)"이라고 불리는 지점에 도달했습니다. 그 당시에는 이 랜드마크가 훗날 '희망봉(Cape of Good Hope)'으로 이름이 바뀌고, 동방의 풍요로운 땅으로 가는 길을 찾는 미래의 탐험가들에게 희망과 낙관을 가져다줄 것이라는 사실을 거의 알지 못했습니다. 그는 1488년 12월 리스본으로 돌아왔지만, 인도 항로 발견의 결정적인 역할을 한 것에 대한 보상을 받지는 못했다고 합니다.

1500년, 바르톨로메우 디아스는 인도로 향하는 페드로 알바레스 카브랄(Pedro Álvares Cabral)의 함대의 일원으로 다시 한 번 지휘봉을 잡게 됩니다. 하지만 운명은 그를 위해 다른 계획을 세우고 있었습니다. 함대는 항해 도중 낯선 해안을 만나게 되었고, 당시에는 섬을 발견한 것으로 착각하고 '베라 크루즈(Vera Cruz)'라는 이름까지 붙였지만 이 곳이 바로 현재 우리가 알고 있는 브라질이었습니다. 이후 함대는 브라질 해안을 따라가면서 인도로 가는 길을 찾아 항해했지만 아이러니하게도 바르톨로메우 디아스가 탄 배는 자신이 발견했던 희망봉 앞바다에서 폭풍을 만나 침몰하면서 사망하게 되었습니다.

참고로, 프레스터 존(Prester John)은 동양의 이교도와 무슬림 사이에서 굳건히 기독교 국가를 다스리고 있다고 전해지는 전설적인 기독교 총대주교이자 장로, 왕입니다. 이 이야기는 중세 판타지가 되어 그를 동방박사의 후손이라고 전해지며, 부와 경이로움, 기이한 생물로 가득한 왕국을 통치하는 인물로 묘사했습니다.

프레스터 존이 다스리는 나라가 어디인지 의견이 분분했는데, 처음에는 인도, 나중에는 중앙아시아 어딘가에 있다고 믿어졌습니다. 오랜 탐험 끝에 포르투갈 탐험가들은 이 나라가 에티오피아(Ethiopia)라고 믿게 되었는데 그 이유는 당시 에티오피아는 다른 기독교 통치 지역과 멀리 떨어진 고립된 기독교 '외딴 섬'이었기 때문입니다.

DESCOBERTA
DO
CABO
DA
BOA ESPERANÇA

14 캘리컷 도착(1498)

20 de Maio de 1498 Chegada a Calicut Vasco da Gama 1498년 5월 20일 캘리컷 도착 바스코 다 가마

15세기 후반, 인도로 향하는 항로를 찾는 것은 수익성 높은 향신료 무역에 접근하려는 열망에서 비롯되었습니다. 계피, 생강, 정향, 후추, 사프란과 같은 향기로운 향신료는 오랫동안 동양에서 유럽으로 육로를 통해 운송되던 고가의 상품이었습니다. 그러나 1453년 콘스탄티노플(Constantinople)이 오스만 제국(Ottoman Empire)에 함락되면서 전통적인 육로 무역 루트가 중단되었고, 유럽 열강은 대체 해상 루트를 모색하기 시작했습니다.

포르투갈의 선각자 왕인 주앙 2세(João II)와 마누엘 1세(Manuel I)는 귀한 향신료의 원천에 직접 접근함으로써 경제적, 정치적으로 큰 힘을 발휘할 수 있다는 잠재력을 인식했습니다. 포르투갈은 인도로 향하는 항로를 개척함으로써 베네치아와 제노바 상인들이 독점하고 있던 기존 무역을 우회하고 수익성 높은 자체 무역 네트워크를 구축할 수 있다는 것을 이해했습니다.

1497년 7월, 바스코 다 가마(Vasco da Gama)는 상 가브리엘(São Gabriel), 상 라파엘(São Rafael), 베리오(Bérrio) 등 세 척의 배와 보급선으로 구성된 소규모 함대를 이끌고 리스본에서 출항했습니다. 용감한 선원들은 광활한 대서양을 건너 아프리카의 위험한 해안을 따라 항해했습니다. 그 과정에서 선원들은 악천후, 낯선 영토, 원주민과의 만남 등 수많은 도전에 직면했습니다.

1년이 넘는 항해 끝에 1498년 5월, 바스코 다 가마의 함대는 마침내 캘리컷(Calicut) 인근의 카파카다부(Calecute, 캘리컷 근처의 유명한 해변)에 도착했습니다. 캘리컷에 도착한 바스코 다 가마는 현지 통치자 및 상인들과 무역 관계를 구축하기 위해 상당한 외교적 도전에 직면했습니다. 문화적 차이를 극복하고 복잡한 협상을 헤쳐나간 끝에 그는 제한적인 무역 활동을 허용하는 미약한 합의를 이끌어냈습니다. 기존 아랍 상인들의 저항에 직면했지만 바스코 다 가마의 끈기와 외교적 기술은 향후 포르투갈이 이 지역에서 무역을 할 수 있는 토대를 마련했습니다.

성공적인 모험을 마친 바스코 다 가마와 그의 선원들은 포르투갈로 돌아가기 위한 여정을 시작했습니다. 처음 인도로 갔을 때는 몬순 바람의 도움으로 인도양을 건너는데 23일 밖에 걸리지 않았지만 인도를 떠나 포르투갈로 돌아올 때는 역풍 때문에 인도양을 건너는데 무려 132일이 걸렸습니다. 예상치 못한 난관에 선원 절반이 사망했고, 나머지 선원들도 괴혈병(비타민 C부족으로 걸리는 병)으로 큰 고통을 받았습니다. 그리고 최종적으로 리스본에 도착한 인원은 148명 중 단 55명 밖에 되지 않았습니다. 바스코 다 가마도 친형 파울루 다 가마(Paulo da Gama)를 아소레스(Açores) 제도의 테르

세이라(Terceira) 섬에 묻고 오느라 동료들보다 한 달 늦은 1499년 9월에야 복귀할 수 있었습니다.

1499년 이들의 귀환은 포르투갈은 물론 유럽 전체에 새로운 탐험과 무역의 시대를 예고했습니다. 인도로 향하는 직항로가 개설되면서 전례 없는 글로벌 무역 및 문화 교류의 시대가 열렸고, 세계사의 흐름이 완전히 바뀌었습니다. 포르투갈 선박이 인도에서 유럽으로 향신료를 직접 운송하기 시작하면서 한때 베네치아를 지배하던 상인들은 새로운 현실에 적응해야 했습니다. 이러한 무역 패턴의 변화는 유럽의 경제 지형에 큰 영향을 미쳤으며 유럽 대륙의 상업적 성장과 번영에 기여했습니다.

CHEGADA
A
CALICUT

15 브라질 발견(1500)

3 de Maio de 1500
Descoberta do Brazil
Pedro Alvares Cabral
1500년 3월 3일
브라질 발견
페드루 알바레스 카브랄

마누엘 1세(Manuel I)는 인도로 가는 항로를 발견하기 위해 떠났던 바스코 다 가마의 항해가 성공한 후 새로운 함대를 인도에 파견할 것을 명령했습니다. 바스코 다 가마의 함대가 소규모라서 교역에 어려움을 겪었다는 것을 알았기에 이번 함대는 13척의 배와 천여 명의 병사로 구성되었습니다. 하지만 이 함대를 구성한 배들의 이름은 몇 척을 제외하고 거의 알려지지 않았는데 일부 역사가들은 카브랄의 기함이 바스코 다 가마가 지휘한 전설적인 상 가브리엘 호였다고 믿습니다.

인도 원정대의 지휘는 포르투갈의 귀족 페드루 알바레스 카브랄(Pedro Álvares Cabral)이 맡았습니다. 1500년 3월 9일 정오에 리스본을 출발한 카브랄의 함대는 의도적으로 아프리카 해안에서 멀리 떨어져서 움직였습니다. 이는 포르투갈 탐험가들이 발견한 해상 선회(Sea Turn)라는 항해 기술입니다. 해상 선회란 바람과 해류가 북반구에서는 시계 방향으로 흐르고, 남반구에서는 시계 반대 방향으로 흐른다는 것을 이용하여 중앙의 잔잔한 지역을 피해 유리한 바람과 해류를 찾아 항해하는 것을 말합니다.

그렇게 아프리카 해안에서 최대한 멀리 떨어져서 우회를 하던 중 4월 21일 해초를 발견하면서 가까운 곳에 해안이 있다는 것을 알게 되었습니다. 다음날인 1500년 4월 22일에는 브라질 북동쪽 해안에 있는 파스콜 산(Monte Pascoal)을 발견합니다. 1500년 4월 24일 카드랄은 포르투 세구루(Porto Seguro)에 정박하여 본격적으로 원주민과의 접촉을 시도하게 됩니다. 포르투갈인들은 높이 7미터의 거대한 나무 십자가를 만들어 세웠고, 이 십자가를 기리기 위해 카브랄은 베라 크루즈 섬(Ilha de Vera Cruz)이라고 이름을 붙였습니다. 포르투갈인들과 원주민들 사이의 상호작용은 당시의 편지와 기록으로 남아 있습니다. 두 집단 간의 문화적 차이와 초기 오해는 이러한 역사적 기록에서 분명하게 드러납니다. 또한 이 만남은 포르투갈 식민지 개척자들과 원주민 사이의 복잡한 관계의 시작을 알렸습니다.

다시 인도를 향해 출발한 카브랄 함대는 희망봉 근처에서 폭풍을 만나 4척의 배가 침몰하고 380명의 병력이 사망하는 큰 사고를 겪게 됩니다. 그 중 하나가 1488년 희망봉을 발견했던 바르톨로뮤 디아스(Bartolomeu Dias)가 탄 배였습니다. 재정비 후 다시 항해를 이어간 카브랄 함대는 9월 13일 캘리컷(Calicut)에 도착하는데 성공합니다.

카브랄은 캘리컷의 통치자와 성공적으로 협상을 타결하여 공장과 창고를 설립했습니다. 그러나 이 공장은 무슬림 아랍인과 힌두

교도 인도인의 공격을 받아 50명 이상의 포르투갈인이 사망했습니다. 포르투갈은 보복으로 아랍 상선 10척을 나포하고 화물을 압수한 후 선원 600여 명을 살해했습니다. 그리고 계약 위반에 대한 보복으로 캘리컷을 하루 종일 포격했습니다. 이 사건은 향신료 무역을 새롭게 장악하려는 포르투갈과 전통적인 향신료 무역의 독점이 깨지는 것을 원치 않았던 아랍인들과의 갈등이 터진 것이었습니다. 또한 포르투갈은 우세한 포병력을 이용해 아시아에서 유럽 열강의 함포 외교 선례를 세웠습니다.

카브랄의 복귀 후 마누엘 1세는 캘리컷에서의 포르투갈 손실에 대한 복수를 하기 위해 새로운 함대를 기획했습니다. 카브랄 역시 복수를 위해 지휘관으로 임명되었지만 8개월 후 아직 밝혀지지 않은 이유로 지휘관의 자리에서 물러났습니다. 1502년 3월 복수 함대의 지휘는 카브랄이 아니라 바스코 다 가마가 맡았습니다. 마누엘 1세의 총애를 잃은 카브랄은 1509년 산타렘(Santarém)으로 은퇴를 했고, 1520년 경 사망했을 것으로 추정하고 있습니다. 그의 무덤은 산타렘에 있는 그라사 수도원(Convento da Graça)에 있습니다.

DESCOBERTA
DO
BRAZIL

16 말라카 점령(1511)

1 de Maio de 1511
Tomada de Malaca
Afonso de Albuquerque
1511년 5월 1일
말라카 점령
아폰수 드 알부케르크

말라카(Malaca)는 15세기 초에 설립되어 번성했던 무역 도시로 중국과 인도 간 무역의 주요 허브 역할을 했습니다. 중국과 인도 사이의 모든 해상 무역이 집중될 수 밖에 없는 좁은 말라카 해협을 차지하고 있었기 때문에 이 도시에는 아랍인, 페르시아인, 터키인, 아르메니아인 등 다양한 배경을 가진 상인 커뮤니티가 형성되어 있었습니다. 당시 말라카의 인구는 약 40,000명으로 추산되며, 건물은 10,000채로 대부분 짚으로 지어졌습니다. 또한 말라카에는 제대로 된 요새가 없었고 방어를 위해 대나무로 만든 임시 요새에 의존하고 있었습니다.

중국과 인도 사이라는 이상적인 위치 덕분에 무역에 유리하기도 했지만, 말라카라는 도시 자체가 늪지대 위에 만들어졌고 주변은 열대 우림에 둘러쌓여 있기 때문에 농업 배후지가 부족했습니다. 그래서 자바, 시암, 페구에서 쌀과 같은 필수품을 전량 수입할 수 밖에 없는 상황이었습니다.

포르투갈은 이 중국과 인도를 잇는 말라카 해협을 통제하고 이 지역의 향신료 무역을 독점하기를 원했습니다. 그래서 1505년 포르투갈의 마누엘 1세 국왕은 이 지역에서 포르투갈의 이익을 보호하기 위해 인도 코친(Cochin)에 요새를 건설하도록 명령했습니다. 1509년 아폰수 드 알부케르크(Afonso de Albuquerque)가 인도 내 포르투갈 영토의 총독으로 임명되었습니다. 그는 이 지역에서 포르투갈의 영향력을 확대하고 향신료 무역에 대한 독점권을 확립하는 임무를 맡았습니다. 말라카는 이 지역 무역의 주요 중심지였기 때문에 포르투갈의 주요 목표였습니다.

포르투갈의 마누엘 1세로부터 말라카 정복 명령을 받은 알부케르크는 직접 지휘를 맡아 1511년 4월에 1,000명의 병력과 18척의 배와 함께 코친에서 출발했습니다. 포르투갈과 말라카 간의 거리를 봤을 때 인류 역사상 가장 멀리 있는 영토의 정복이라고 할 수 있습니다. 알부케르크의 함대는 7월 1일 말라카에 도착하자마자 대포를 일제 사격하여 자신의 존재를 과시했으며, 자신의 허락 없이는 어떠한 배도 말라카 항구를 떠날 수 없다고 엄포를 놓았습니다.

몇 주 동안의 협상에도 진척이 없었고, 알부케르크는 7월 25일 1차 공격, 8월 8일 2차 공격을 했습니다. 포르투갈 군대는 수적으로 열세였지만 화력이 우세하여 도시의 방어선을 뚫을 수 있었습니다. 결국 1511년 8월 10일 말라카를 장악하는데 성공하게 됩니다. 이 과정에서 포르투갈 병사는 28명 죽고 많은 부상자가 발생했는데 대부분 독화살로 인한 사상자로 밝혀졌습니다. 알부케르크는 말라카를 다시 빼앗기지 않기 위해 높이 18미터의 요새를 건설했고 워낙 인상적인 거대한 모습에 '유명한 것(A Famosa)'이라는 이름이 붙여졌습니다. 이 '유명한' 요새의 일부는 오늘날까지 남아서 확인할 수 있습니다.

말라카 점령은 포르투갈에게 중요한 승리였으며, 말라카 해협과 이 지역의 향신료 무역을 통제할 수 있게 되었기 때문입니다. 포르투갈은 말라카에 교역소를 설립하고 이 지역에서 영향력을 확대하기 위한 거점으로 사용했습니다. 말라카 점령은 또한 동남아시아에서 유럽 식민주의의 시작을 알렸습니다.

아폰수 드 알부케르크(Afonso de Albuquerque)는 포르투갈 귀족이자 군사령관이었으며, 포르투갈 인도의 두 번째 총독이었습니다. 그는 인도양에서 포르투갈 제국을 세우는 데 중요한 역할을 했으며 역대 가장 위대한 포르투갈 군사 지휘관 중 한 명으로 꼽힙니다.

1509년 포르투갈 인도 총독으로 임명된 알부케르크는 이 지역에서 포르투갈의 영향력을 확대하고 향신료 무역에 대한 독점권을 확립하는 임무를 맡았습니다. 그는 뛰어난 전략가이자 전술가였으며 이 지역에서 여러 차례 중요한 군사적 승리를 거두었습니다.

그의 주목할 만한 업적은 다음과 같습니다:

- 1510년 고아(Goa)를 정복하고 포르투갈령 인도의 수도로 세움.

- 1511년 말라카(Malacca)를 점령하여 포르투갈이 말라카 해협과 이 지역의 향신료 무역을 통제하게 됨.

- 에티오피아, 시암 왕국, 사파비 제국 등 이 지역의 여러 왕국과 외교 관계 수립.

- 1515년 오르무즈(Ormuz) 도시를 점령하여 페르시아만 지배.

알부케르크는 이 지역에 기독교를 전파하고 지역 주민들을 기독교로 개종시키는 데에도 관심을 가졌습니다. 그는 말라카 정복이 이 지역에 기독교를 전파하는 데 도움이 될 것이라고 믿었습니다.

알부케르크는 1515년 12월 16일 고아에서 사망하여 노사 세뇨라 다 그라사(Nossa Senhora da Graça) 교회에 묻혔습니다. 그의 유산은 포르투갈에서 여전히 기념되고 있으며 포르투갈 역사상 가장 위대한 인물 중 한 명으로 여겨지고 있습니다.

Victoria P.
TOMADA
DE
MALACA

17 디우 공성전(1546)

11 de Novembro de 1546 Cerco de Diu D. Joao de Castro 1546년 11월 11일 디우 공성전 주앙 드 카스트루

1546년 일어난 디우(Diu) 공성전은 그 하나로 독립적인 사건이 아니라 1508년부터 1573년까지 포르투갈과 구자라트 술탄국(Sultanate of Gujarat) 간에 벌어진 무력 분쟁 중 하나입니다. 따라서 전체적인 맥락을 하나씩 잘 따라오는데 중요합니다.

구자라트 술탄국은 인도와 인도양에서 큰 영향력을 가지고 있었던 상업 강국 중 하나였습니다. 그리고 말라카는 구자라트 해외 무역의 중심지였습니다. 하지만 1498년 바스코 다 가마(Vasco da Gama)가 인도 항로를 개척해 인도에 나타나면서 포르투갈이 인도양 무역에 참여하려고 했습니다. 이에 구자라트 상인들은 큰 불만을 품고 있는 상태였습니다.

무력 분쟁의 첫 시작은 1508년 디우(Diu)의 지도자 말리크 아야즈(Malik Ayyaz)가 포르투갈인들을 인도에서 몰아내면서 발생했습니다. 그리고 1508년 인도 차울(Chaul) 항구에서 차울 해전이 벌어졌는데 무슬림의 승리로 끝이 나게 됩니다. 차울 해전은 인도양에서의 포르투갈 첫 패전으로 기록되었습니다.

1509년 디우에서 벌어진 디우 해전은 인도 초대 총독 프란시스코 데 알메이다(Dom Francisco de Almeida)가 지휘하는 포르투갈 함대가 대승하면서 끝이 납니다. 역사가들은 이 디우 해전을 레판토(Lepanto) 해전이나 트라팔가(Trafalgar) 전투에 비견할 정도로 중요한 의미를 가진다고 평가하고 있습니다. 이슬람 세력이 이 해전에서 패전하면서 15세기 이후 세계적으로 중요한 위상을 떨칠 수 있는 기회가 날아가버렸다고 합니다. 실제로도 제2차 세계대전까지 인도양에서 유럽의 지배가 계속되었습니다.

1517년에는 차울(Chaul) 전투와 다불(Dabul) 전투가 벌어졌지만 이 역시 포르투갈 군대가 승리했습니다.

1521년에는 디우(Diu)의 지도자 말리크 아야즈(Malik Ayyaz)가 포르투갈의 차울(Chaul) 요새 건설을 막기 위해 함대를 파견했지만 역시나 포르투갈에게 패배했습니다.

1531년 디우 공성전은 포르투갈의 인도 총독 누누 다 쿠냐(Nuno da Cunha)가 디우(Diu)를 점령하기 위해 대규모 병력을 파견한 사건입니다. 결사적인 방어로 포르투갈의 공격으로부터 디우가 함락되는 것은 간신히 피할 수 있었지만 결국 봉쇄당했고, 다른 구자라트 도시들이 무방비로 노출되어 큰 손실을 입었습니다. 결국 1534년 구라자트 술탄은 평화조약을 통해 포르투갈에게 봄베이(Bombai)를 비롯한 바세인(Bassein) 영토를 줄 수 밖에 없었습니다.

1538년, 무굴 제국으로 위협을 받고 있던 구자라트 술탄은 포르투갈의 지원을 받는 댓가로 디우(Diu)를 넘겨줍니다. 이후 무굴 제국의 위협이 사라지자 구자라트 술탄은 포르투갈로부터 디우를 반환 받는 문제에 대해 협상을 진행하던 중 포르투갈에 의해 암살당하고 바다에 버려졌습니다. 결국 1538년 디우 공성전으로 이어졌고 4개월에 걸친 포위 공격을 이겨낸 포르투갈이 승리하게 됩니다. 포르투갈은 이때 지켜낸 디우를 1961년까지 소유하게 됩니다.

1538년, 디우가 포위되고 있는 동안 구자라트는 바세인(Bassein)을 포위하면서 바세인 공성전이 시작되었습니다. 포르투갈의 지원 군대가 제때에 도착해 포위군을 무찌르고, 디우 공성전이 실패했다는 소식을 듣게 된 구자라트에서 더 이상의 공격을 중단하면서 포르투갈이 승리하게 됩니다.

1546년, 구자라트 장군 코자 주파르(Khoja Zufar)가 디우를 다시 포위했습니다. 7개월이나 된 포위공격에 힘들었지만 주앙 드 카스트루(João de Castro)가 이끄는 지원함대가 도착하면서 구자라트 함대를 격파했습니다. 1546년 디우 공성전을 주도했던 코자 장군과 그의 아들은 모두 전사했습니다. 한편 주앙 드 카스트루(João de Castro)는 디우 공성전에 큰 전과를 세운 것을 인정받아 주앙 3세에 의해 4대 인도 총독으로 임명되었습니다.

1547년, 디우가 포위되고 있는 동안, 포르투갈의 인도 총독은 10척의 배와 600명의 군사를 보내 구자라트 해안을 봉쇄하고 보급선을 포획하게 합니다. 이때 잡은 어부들로부터 인근 바루크(Bharuch) 도시의 방어가 허술하다는 정보를 입수하고는 야간 기습으로 바루크를 함락하고 약탈하는데 성공합니다.

1559년, 포르투갈의 인도 총독으로 새롭게 부임한 콘스탄티누 드 브라간사(Constantino de Bragança)는 이전 총독이 구자라트 술탄으로부터 다만(Daman)시를 얻어 새로운 요새를 건설하려 했지만 한 지역 영주가 이에 반발해 군사를 모아 저항하고 있다는 보고를 받게 됩니다. 콘스탄티누는 다만을 무력점령하기 위해 군대를 지휘하여 출발하게 됩니다. 그의 부대는 야간기습공격으로 저항하는 적들을 모두 무찌르고 다만(Daman)을 차지하는데 성공하게 됩니다.

앞에서 살펴본대로, 바세인(Bassein), 디우(Diu), 다만(Daman)을 차례차례 함락시킨 포르투갈은 캄바트 만(Gulf of Khambat)을 완전히 통제하게 되었고, 상선들은 포르투갈에서 발행한 통행증이 없이는 무역을 하기가 어려워졌습니다. 국력이 기울어진 구자라트 술탄국은 내전으로 더욱 힘들어졌고, 결국 1573년 무굴 제국에 합병되면서 사라졌습니다.

Victoria P.ᵉ
CERCO
DE
DIU

18 루안다 점령(1648)

15 de Agosto de 1648
Tomada de Luanda
Salvador Correia de Sá
1648년 8월 15일
루안다 점령
살바도르 코레이아

1648년 앙골라 재탈환 역시 이 사건 하나만 보는게 아니라 1598년부터 1663년까지 이어진 네덜란드-포르투갈 전쟁 중 하나로 이해하는 것이 더 정확합니다. 당시 포르투갈은 1580년 세바스티앙 왕이 모로코 원정을 나갔다가 알카세르 퀴비르 전투에서 실종되면서 왕위 계승 위기가 발생하게 됩니다. 이때 스페인의 펠리페 2세가 왕위 계승 전쟁에서 승리하게 되면서 포르투갈의 필리프 1세가 되었고 이베리아 연합(스페인-포르투갈) 왕국이 되었습니다.

포르투갈이 스페인에 먹히기 전에는 포르투갈 상인들이 인도 항로를 통해 가져온 향신료를 네덜란드를 거쳐 북유럽 전역에 판매하고 있었습니다. 하지만 이베리아 연합이 된 후 스페인에 적대적인 지역(개신교)을 억압하는 조치 중 하나로 포르투갈과 네덜란드 간의 일체의 무역을 금지하는 정책을 실시했습니다. 그리고 예전 네덜란드가 맡았던 향신료 중개 역할은 가톨릭을 믿는 남부 네덜란드(지금의 벨기에)가 가져가 버렸습니다. 향신료 구입을 차단당한 네덜란드는 향신료를 구하기 위해 인도 향신료 무역에 뛰어들 수 밖에 없었습니다.

한편 이베리아 연합이 등장하면서 자연스럽게 1373년에 맺은 영국-포르투갈 동맹은 중단이 되었고, 영국은 한참 영국-스페인 전쟁을 하고 있었기에 포르투갈 선박과 식민지 역시 영국의 군사목표가 되었습니다. 그때 몇 차례 포르투갈 상선을 포획하면서 얻은 어마어마한 향신료 규모에 맛을 들인 영국이 1595년 포르투갈 식민지 중 하나인 브라질 헤시피(Recife) 마을과 항구를 함락할 때 네덜란드가 도우면서 두 나라의 연대가 본격적으로 시작되었습니다. 1600년에는 영국 동인도회사가, 1602년에는 네덜란드 동인도회사(VOC)가 설립되면서 본격적으로 향신료 전쟁에 네덜란드가 뛰어들었습니다.

오랜 전쟁 끝에 포르투갈은 브라질과 앙골라를 지켜내는 데는 성공했지만 대신 동인도의 대부분 지역 즉 말라카, 실론, 말라바르 해안, 몰루카 제도 등을 네덜란드에 빼앗기게 됩니다. 이베리아 연합임에도 스페인은 자신들의 식민지 방어에만 급급하고 예전 포르투갈의 식민지를 지키는데에는 소홀했다고 판단한 포르투갈 국민들은 크게 분노했습니다. 이는 훗날 스페인의 펠리페 4세(포르투갈의 필리프 3세) 때 일어난 포르투갈 독립전쟁의 불씨가 되었습니다.

이제 1648년에 일어난 포르투갈의 앙골라 탈환에 대한 설명을 해보겠습니다. 1641년 8월 25일 네덜란드 서인도회사 소속의 군인들이 앙골라의 수도 루안다에 상륙하는 일이 발생합니다. 당시 루안다를 담당하던 포르투갈의 총독은 방어에 역부족이라고 판단하고는 철수명령을 내리게 됩니다.

그렇게 앙골라가 네덜란드 수중에 넘어가자 포르투갈 특히 식민지 브라질의 피해가 극심했습니다. 당시 식민지 브라질은 대서양 노예 무역의 중심이었으며 해안에 즐비한 사탕수수 공장을 운영하기 위해서라도 앙골라의 노예들이 필수였기 때문입니다. 결국 다시 앙골라를 탈환하고 네덜란드인들을 몰아내기 위한 원정대가 꾸려졌습니다. 지휘관으로는 살바도르 코레이아(Salvador Correia de Sá e Benevides)가 임명되었습니다.

살바도르의 함대는 1647년 10월 24일 리스본을 출발하여 이듬해인 1648년 1월에 리우데자네이루에 도착하였습니다. 재정비 후 1648년 7월 12일 퀴콤보(Quicombo)를 점령하고 요새를 건설하는데 성공합니다. 8월에는 앙골라의 수도 루안다(Luanda)로 이동하여 네덜란드인들을 몰아내는데 성공합니다. 포르투갈 군의 숫자는 네덜란드에 비해 열세였지만 효과적인 무기 사용으로 실제보다 더 많은 병력으로 착각하게 만드는데 성공했기에 루안다와 앙골라에 주둔한 모든 네덜란드군이 항복했습니다. 살바도르는 이에 만족하지 않고 아프리카의 돈고, 콩고 왕국도 정복하게 됩니다. 이렇듯 앙골라를 재정복하게 되면서 다시 브라질에 노예들이 공급되기 시작했습니다.

TOMADA
DE
LVANDA

19 몬티조 전투(1644)

> 26 de Maio de 1644
> Batalha do Montijo
> Matias de Albuquerque
> (conde de Alegrete)
> 1644년 5월 26일
> 몬티조 전투
> 마티아스 드 알부케르크

1578년 포르투갈의 세바스티앙 왕이 자손을 두지 않은 상태에서 모로코 원정을 떠났다가 실종이 되고, 1580년 후임으로 증조부 엔히크 추기경이 왕위에 올랐지만 워낙 고령인 탓에 얼마 뒤 세상을 떠나고 말았습니다. 이에 포르투갈 왕위계승를 둘러싸고 혼란이 있었지만 스페인의 펠리페 2세(Felipe II)가 결국 포르투갈 왕권을 차지하고 필리프 1세(Filipe I)로 즉위하면서 이베리아 연합 왕국이 탄생하게 되었습니다.

스페인의 펠리페 2세가 포르투갈을 차지할 때는 나름 외가쪽 나라인 포르투갈에 대해 애정도 있었고, 자치권도 보장하겠다는 약속을 했지만, 펠리페 3세(포르투갈 필리프 2세), 펠리페 4세(포르투갈 필리프 3세)로 넘어가면서 포르투갈의 지위는 점점 나빠졌습니다. 포르투갈 국민들은 더 높은 세금을 내야 했고, 포르투갈 귀족의 영향력은 점점 희미해졌습니다. 포르투갈의 식민지들은 다른 나라들의 먹잇

감이 되어 하나둘씩 빼앗기고, 스페인 사람들이 포르투갈 정부의 중요한 자리들을 죄다 차지하고 있었습니다.

이로 인한 포르투갈 국민들의 불만이 하늘을 찌를 듯 높아지자 40명의 귀족과 부르조아들이 이베리아 연합 60년째가 되는 1640년 12월 1일 거사를 행합니다. 매국노 국무장관 미겔 드 바스콘셀루스(Miguel de Vasconcelos)를 살해하고, 스페인 왕의 사촌이자 포르투갈 총독인 만투아 공작부인(Duchess of Mantua)을 가두었습니다. 그리고 브라간사 8대 공작인 주앙이 포르투갈 왕으로 추대되어 주앙 4세(João IV)가 되었습니다. 주앙 4세는 하루라도 빨리 독립을 인정받고 국가의 안정을 꾀하고 싶었지만 포르투갈의 복원전쟁은 이후 28년이나 더 지속되었습니다.

28년 동안의 복원전쟁 중 주요 전투는 5개 정도 되는데 그 중 가장 초기에 벌어진 것이 바로 1644년 5월 26일 스페인 몬티조(Montijo) 인근에서 벌어진 몬티조 전투(Battle of Montijo)입니다. 포르투갈 장군 마티아스(Matias de Albuquerque)는 스페인 군의 총사령관이자 전설적인 군인인 토레쿠사 후작(Marquis of Torrecusa)과 붙어보고 싶은 마음에 군대를 이끌고 국경을 넘었습니다. 몇 개의 마을을 약탈하고, 몬티조(Montijo)의 경우는 저항 없이 항복을 받아냈지만 스페인 군대를 만나지 못해 실망한 마티아스는 다시 포르투갈로 복귀하기로 결정하게 됩니다.

그렇게 귀국하던 마티아스의 부대와 몰링겐 남작이 이끄는 스페인 군대가 몬티조 인근에서 조우를 하게 됩니다. 전투 초반에는 스페인 기병대가 포르투갈 군대에 큰 타격을 입히기도 했지만, 재정비에 성공한 포르투갈 군이 다시 기세를 잡아 스페인군을 과디아나 강(Guadiana River) 건너편으로 몰아넣고 막대한 피해를 주는데 성공하면서 최종 승리하게 됩니다.

양측 모두 애초에 작정하고 한 전투가 아니었는데다가 전투가 종료된 후에는 서로 이겼다고 주장하는 이상한 상황에 접하게 됩니다. 몬티조 전투 자체는 포르투갈에서 승리한 것이라고 볼 수도 있지만, 스페인측에서는 포르투갈군의 바다호스(Badajoz, 과디아나 강 기슭에 있는 국경도시) 점령을 막아냈다는 전략적 승리를 주장하고 있는 것입니다. 아무튼 주앙 4세는 마티아스의 승리를 축하하며 그에게 알레그레트 백작(Count of Alegrete)이라는 작위를 내렸고, 스페인 총사령관 토레쿠사 후작은 이 전투 직후 군복을 벗었습니다.

BATALHA
DO
MONTIJO

20 아메이시알 전투(1663)

8 de Junho de 1663
Batalha do Ameixial
Sancho Manoel (conde de vila flor)
1663년 6월 8일
아메이시알 전투
산슈 마노엘

아메이시알 전투(Batalha do Ameixial)는 28년에 걸친 포르투갈 복원 전쟁 중 일어난 중요한 전투 중 하나입니다. 1663년 봄이 되자, 스페인 합스부르크 왕가는 포르투갈 독립에 대한 싹을 자르기 위해 대대적인 공격을 준비하게 됩니다. 스페인 펠리페 4세의 친아들인 후안 호세(Juan José)에게 지휘를 맡기고 총 26,000명의 병력을 주었습니다. 후안 호세가 이끄는 스페인군은 바다호스(Badajoz)를 출발해 포르투갈을 침공했고, 5월 2일 제2의 도시인 에보라(Évora)를 함락해 리스본이 위태로워졌습니다.

포르투갈은 정규군과 민병대를 가리지 않고 최대한 모은 병력이 20,000명이었습니다. 수적 열세인 포르투갈군은 스페인군의 보급을 막는 전략을 사용했습니다. 이때문에 탄약, 생필품, 재정 부족 등 보급 문제로 인해 스페인군의 기세가 꺾였고, 이는 포르투갈이 방어를 재결집할 수 있는 기회의 창을 제공했습니다. 결국 스페인군은 리스본 진군 대신 식량을 찾아 에보라를 떠날 수 밖에 없었습니다. 스페인군은 에보라에 수비대 3,700명만 남기고 보급품을 구하기 위해 엘바스(Elvas) 북쪽의 아론슈(Arronches)로 이동했습니다.

포르투갈군은 이틀동안 스페인군을 따라잡았고 에스트레모즈 근처의 기복이 심한 지형에서 스페인군과 싸우기로 결단을 내렸습니다. 만약 포르투갈이 이 전투에서 패전한다면 수도 리스본을 방어할 병력까지 모두 소진하는 위험이 있었기에 그만큼 반드시 이겨야 하는 전투였습니다.

1663년 6월 8일 이른 아침에 시작된 아메이시알 전투는 포르투갈의 승리로 끝이 났습니다. 스페인군대는 막대한 손실을 입고 바다호스로 후퇴를 해야 했으며, 에보라에 남겨놓은 수비대 역시 6월 24일 항복했습니다. 이로써 포르투갈 복원 전쟁 중 가장 위협적이었던 스페인 공격 중 하나가 실패로 돌아갔습니다. 이 결정적인 승리는 포르투갈 왕국의 독립을 지켜냈고 스페인의 지배를 저지하는데 분수령이 되었습니다. 일부 역사가들은 포르투갈 복원 전쟁 중 가장 중요한 전투였다고 평가하기도 합니다.

BATALHA
DO
AMEIXIAL

21 몬트스 클라루스 전투(1665)

17 de Julho de 1665
Batalha de Montes Claros
Marques de marialva
1665년 7월 17일
몬트스 클라루스 전투
마르크스 드 마리알바

1662년 아메이시알 전투(Batalha do Ameixial)의 패전으로 정신이 번쩍 든 스페인 왕실에서는 포르투갈에 결정타를 먹이지 않으면 이 지긋지긋한 전쟁이 끝나지 않을 것이라는 불안감이 들기 시작했습니다. 그래서 포르투갈의 주요 도시를 점령하거나 포르투갈 군대를 완전히 전멸시켜야 한다는 목표가 생겼습니다. 그리고 이 목표를 달성할 적임자로 이탈리아와 네덜란드와의 전쟁에서 큰 성과를 낸 카라세나 후작(Marquis of Caracena)을 임명했습니다.

카라세나 후작은 포르투갈의 수도인 리스본을 최대한 빠르게 점령하여 전쟁을 끝내려고 했고, 리스본까지 가는 중간 경로로 빌라 비코사(Vila Viçosa)와 세투발(Setúbal)을 생각했습니다. 카라세나 후작은 압도적인 병력으로 포르투갈을 밀어버릴 생각에 병력확보에 시간이 좀더 필요했습니다. 하지만 스페인의 펠리페 4세(포르투갈의 필리프 3세)가 위독해지자, 그가 죽으면 포르투갈에 대한 외국의 지원이 더 많아질 것이고, 전쟁 장기화로 재정적인 어려움에 봉착하면 스페인 군대가 해산될 수도 있다는 위기감에 스페인 왕실은 1665년 5월 25일 침공 명령을 내리게 됩니다.

하지만 포르투갈로 가만히 놀고 있었던 것은 아닙니다. 스페인 군대가 남쪽 국경을 넘어 알렌테주(Alentejo) 지역을 통해 침공할 것을 예상하고 그곳에 방어할 병력을 증원한 상태였습니다. 예상대로 스페인군은 보르바(Borba)를 점령한 후 빌라 비쏘사(Vila Viçosa)를 공격했습니다. 포르투갈군이 빌라 비쏘사를 지원하기 위해 진군하다 몬트스 클라루스(Montes Claros)을 결전의 장소로 선택하고 그 자리에 멈춰 전투를 준비했습니다. 스페인군 역시 빌라 비쏘사의 강렬한 저항에 당황하던 차에 수적으로 열세인 포르투갈 군대가 오고 있다는 소식을 받고 맞붙기로 결심을 하게 됩니다.

1665년 6월 17일 스페인 포병이 먼저 사격을 가하면서 전투가 시작되었습니다. 7시간에 걸친 스페인군의 3차 공격을 포르투갈군이 모두 막아내고 오히려 스페인군의 손실이 커지자 당황하기 시작했습니다. 그리고 포르투갈의 본격적인 반격에 스페인군은 무너지기 시작했습니다. 장군 8명을 포함해 수천 명의 스페인 군인들이 포로로 잡혔고, 포로로 잡힐 것이 두려워 숲속으로 피신한 1500명의 패잔병들은 부상과 굶주림으로 대부분 사망했습니다.

몬트스 클라루스 전투는 복원 전쟁을 효과적으로 마무리하고 스페인으로부터 포르투갈의 독립을 결정적으로 확보했습니다. 이후 스페인은 추가 침공을 하지 못했습니다. 이 전투의 패배는 1667년 영국과 스페인 간의 조약 체결로 이어졌고, 1년 후인 1668년에는 포르투갈과 스페인 간의 리스본 조약이 영국의 중재로 체결되면서 포르투갈 브라간사 왕조가 공식적으로 인정되었습니다.

1665
BATALHA
DE
MONTES CLAROS

22 아마란트 다리 방어(1809)

2 de maio de 1809
defeza da ponte de amarante
general silveira (conde de amarante)
1809년 5월 2일
아마란트 다리 방어
실베이라 장군

프랑스 혁명이 일어나 프랑스의 루이 16세와 왕비 마리 앙투아네트가 처형되는 사건이 발생합니다. 이를 계기로 스페인이 1793년 4월 17일 프랑스에 선전포고하게 되는데 프랑스의 혁명정부가 스페인 왕정에 위협이라고 생각했기 때문입니다. 포르투갈 섭정을 맡은 주앙 왕자(훗날 주앙 6세)가 지원한 약 5000명의 포르투갈 군인을 포함하여 원정군대를 편성한 스페인 안토니오 리카르도스(Antonio Ricardos) 장군은 루시용(Rossilhão)을 점령하고 툴롱(Toulon)도 함락하게 됩니다.

안토니오 리카르도스 장군은 화려한 공적도 자랑하고, 지원군도 요청할 겸 마드리드에 잠깐 돌아왔는데 그곳에서 폐렴으로 급사하면서 상황이 급변했습니다. 지휘관이 사라진 스페인군과 포르투갈군은 프랑스군에 속절없이 무너졌습니다. 프랑스군은 잃었던 영토를 모두 되찾은 것은 물론이고 스페인 국경을 넘어 역공을 하기에 이릅니다. 결국 1795년 7월 22일 스위스 바젤에서 바젤 조약(Tratado de Basileia)을 맺으며 끝이 났습니다. 승전국인 프랑스는 영토를 모두 되찾고, 새 공화국에 대한 스페인 정부의 인정도 받았으며, 히스파이올라(Hispaniola)라는 섬까지도 넘겨받게 됩니다.

1806년 나폴레옹 보나파르트는 영국이 유럽 대륙으로부터 수입하는 것을 금지하는 대륙 봉쇄를 선포합니다. 영국과의 오랜 정치적, 경제적 관계가 있었던 포르투갈에서는 중립을 유지하며 어떻게든 피해보려고 했지만, 나폴레옹은 이베리아 반도를 모두 먹어버리기로 결정을 합니다. 포르투갈이 대륙 봉쇄를 지키지 않는다는 것을 빌미로 프랑스는 포르투갈을 침공합니다. 주노(Jean-Andoche Junot) 장군이 이끄는 프랑스군은 1807년 10월 18일 스페인에 들어온 후 11월 20일에는 포르투갈 국경까지도 넘었습니다.

오랜 행군으로 인한 피로와 차가워진 날씨 덕에 프랑스군의 진격 속도는 다소 느려졌고, 그 틈을 타서 프랑스군이 리스본에 진입하기 하루 전날 포르투갈 왕실은 영국 해군의 호위를 받아 브라질로 도피를 하는데 성공하게 됩니다. 포르투갈을 장악하는데 성공한 프랑스는 빠르게 포르투갈을 약탈했고, 나폴레옹의 1억 프랑 조공 명령은 포르투갈의 경제를 거의 마비시켰습니다. 심지어 포르투갈 군대까지도 나폴레옹의 명령으로 해산되었습니다.

1808년 5월 9일 브라질에 있는 포르투갈의 섭정 왕자 주앙은 포르투갈과 프랑스와의 모든 조약을 무효로 선언하고 프랑스에 선전포고했습니다. 그리고 영국과는 다시 우호 관계를 맺었습니다. 6월 6일 포르투를 시작으로 프랑스 점령에 반대하는 민중 반란이 여기저기서 일어났습니다. 영국에서 온 아서 웰즐리(Arthur Wellesley) 장군의 지휘 하에 벌어진 롤리사 전투(Battle of Roliça)와 비메이로 전투(Battle of Vimeiro)를 포르투갈-영국 연합군이 승리하게 됩니다. 결국 1808년 8월 22일 신트라 협약(Convenção de Sintra)을 통해 프랑스군이 포르투갈에서 철수하면서 프랑스의 1차 포르투갈 침공이 끝이 나게 됩니다.

1809년 2월 나폴레옹 황제로부터 2차 침공 명령을 받은 솔트(Nicolas Jean-de-Dieu Soult) 장군과 그의 프랑스 군대가 포르투갈 국경을 넘었습니다. 한편 포르투갈은 1차 침공 때 프랑스에 의해 해체된 군대를 다시 재편해야 하는 상황이었기에 영국에 도움을 요청했습니다. 그래서 소장 윌리엄 카 베레스포드(William Carr Beresford)가 포르투갈 군사령관에 임명되어 군대 재편성 임무를 수행했고, 다수의 영국 장교들이 포르투갈 군에 투입되었습니다.

'아마란트 다리 방어(Defesa da Ponte de Amarante)'는 1809년 4월 18일부터 5월 2일까지 14일 동안 포르투갈의 소규모 군대가 훨씬 더 큰 규모의 프랑스 군대의 진격에 저항한 제2차 프랑스 포르투갈 침공의 영웅적인 사건입니다. 포르투갈군은 프란시스쿠 실베이라(Francisco Silveira) 장군이 지휘했으며, 약 4,000명의 정규군, 민병대, 자원 봉사자들로 구성되었고 무기와 보급품은 거의 없었습니다. 한편 프랑스군은 앙리 프랑수아 델라보르드(Henri-François Delaborde) 장군이 이끌었는데, 그는 약 7,500명의 장비를 갖춘 병사를 보유하고 있었습니다.

아마란트 다리는 트라스 오스 몬트스(Trás-os-Montes)와 미뉴(Minho) 지방을 연결하는 전략적 요충지였으며, 프랑스군은 이 다리를 건너 리스본에 도착하여 스페인의 다른 프랑스군과 합류하기를 원했습니다. 포르투갈군은 대포, 소총, 돌, 심지어 끓는 물까지 사용해 프랑스군의 공격을 격퇴하며 용기와 결단력으로 이 다리를 지켜냈습니다. 프랑스군은 다리를 강제로 통과하려 했지만 격렬한 저항에 부딪혀 많은 사상자가 발생했습니다. 그들은 또한 타메가(Tâmega) 강 위에 폰툰(pontoon, 부력을 이용하여 물 위에 설치하는) 다리를 건설하려고 했지만 포르투갈인들은 불로 그것을 파괴했습니다.

아마란트 다리의 방어는 프랑스의 진격을 지연시키고 아서 웰즐리(훗날 웰링턴 공작)가 이끄는 영-포르투갈 군대가 포르투 전투(프랑스가 패배하고 포르투갈에서 쫓겨남)를 준비하는 데 도움이 되었습니다. 아마란트 다리 방어는 반도 전쟁에서 포르투갈 국민의 가장 주목할 만한 업적 중 하나이자 애국심과 용기의 상징으로 여겨집니다.

2
DE
MAIO
DE
1809
DEFEZA
DA
PONTE DE AMARANTE

23 부사쿠 전투(1810)

27 de setembro de 1810
batalha do buçaco
General sepulveda
1810년 9월 27일
부사쿠 전투
세풀베다 장군

1809년 포르투갈 2차 침공마저 실패하자, 나폴레옹은 앙드레 마세나(André Masséna)를 새로운 사령관으로 임명하고 약 65,000명의 군대를 맡겼습니다. 그는 프랑스 내에서도 가장 신뢰를 받는 장군이었기에 나폴레옹으로부터 '승리의 아들(the son of victory)'이라는 별명도 받을 정도였습니다. 하지만 문제는 상대 장수가 바로 아서 웰즐리 장군이었다는 것입니다.

프랑스의 3차 포르투갈 침공은 1810년 7월 3일 스페인의 살라망카(Salamanca)로부터 트라스-오스-몬트스(Trás-os-Montes)로 국경을 넘으면서 시작되었습니다. 프랑스군의 첫 관문은 알메이다(Almeida) 요새였습니다. 알메이다 요새는 영국 장교 윌리엄 콕스 대령의 지휘 하에 4,700명의 수비대가 지키고 있었습니다. 프랑스군의 입장에서는 이곳을 정리하지 않고 그냥 지나쳤다가는 강력한 후방 위협에 노출될 가능성이 있었기에 공략이 필수적이었습니다. 포르투갈

군의 방어는 나쁘지 않았지만 요새 내에 떨어진 프랑스군의 포탄 하나가 연쇄폭발을 유발하여 약 500명이 사망하고 요새에도 큰 파손을 일으키며 결국 항복할 수 밖에 없었습니다.

알메이다를 함락시킨 마세나의 군대는 코임브라(Coimbra)를 향해 진격했습니다. 이에 맞서 웰즐리 장군은 세하 두 부사쿠(Serra do Buçaco)에 군대를 집결시키고 방어선을 구축했습니다. 1810년 9월 27일 상대의 전력을 과소평가한 마세나는 부주의하게 전진했고 다섯 차례의 연속 공격을 명령했지만 모두 막대한 손실을 입고 격퇴당했습니다. 프랑스군은 4,500명에서 4,800명의 사상자를 냈고 연합군은 1,250명에서 1,400명의 사상자를 냈습니다.

이 전투는 유리한 지형을 선택하고 요새화하는 능력과 영국과 포르투갈 군대의 행동을 조정하는 능력을 보여준 웰즐리 장군의 전술적 승리였습니다. 그러나 마세나가 부사쿠를 우회하여 리스본을 향해 계속 진격했기 때문에 결정적인 승리는 아니었습니다. 웰즐리 장군은 포르투갈 수도를 보호하기 위해 구축한 요새 시스템인 토레스 베드라스(Torres Vedras) 전선으로 후퇴할 수밖에 없었습니다. 그곳에서 웰즐리는 1811년 3월 기아와 질병, 보급품 부족으로 지친 마세나가 철수할 때까지 몇 달 동안 프랑스의 포위 공격을 견뎌냈습니다. 그동안 프랑스 군대는 1811년 1월까지 약 4만 명으로 줄어들었습니다.

프랑스군은 폼발(Pombal), 레디냐(Redinha), 카잘 노부(Casal Novo), 포즈 두 아루스(Foz do Arouce), 사부갈(Sabugal) 전투에서 막대한 손실을 입힌 영-포르투갈 군대의 추격을 받아 1811년 3월 5일 포르투갈에서 퇴각하기 시작했습니다. 프랑스군은 1811년 4월 3일 국경을 넘어 스페인으로 퇴각했고, 1811년 4월 6일 시우다드 로드리고에 도착하면서 프랑스의 3차 포르투갈 침공이 끝났습니다. 이 작전에서 프랑스군은 약 25,000명의 병사를 잃었고, 영-포르투갈군은 약 15,000명의 병사를 잃었습니다.

웰링턴 공작

1769년 5월 1일 아서 웰즐리(Arthur Wellesley)은 아일랜드의 개신교 가문에 속한 귀족적인 앵글로 아일랜드 가문에서 태어났습니다. 아서는 9남매 중 여섯째로 태어나 어린 시절 대부분을 아일랜드 미스(Meath) 카운티의 당간(Dangan) 성에서 보냈습니다. 귀족 가문의 배경에도 불구하고 아서는 모험심과 지적 호기심으로 가득 찬 어린 시절을 보냈고, 이는 훗날 그의 업적을 형성하는 밑거름이 되었습니다.

1787년 영국 육군에 입대한 아서(Arthur)는 뛰어난 군인 경력의 시작을 알렸습니다. 아서는 아일랜드에서 역대 아일랜드 중위의 보좌관으로 근무하며 군사 및 정치 생활의 복잡성을 접하고 귀중한 경험을 쌓았습니다. 이후 네덜란드와 인도에서 제4차 앵글로-마이소르 전쟁과 제2차 앵글로-마라타 전쟁에 참전하면서 그의 전략적 통찰력과 리더십 역량을 보여줬습니다. 아서 웨슬리가 강력한 군사 지도자로 성장하기 시작한 것은 바로 이 형성기의 시기였습니다.

나폴레옹 전쟁의 반도 캠페인에서 장군으로 명성을 떨친 것은 아서의 경력에서 결정적인 시기였습니다. 1813년 비토리아(Vitoria) 전투에서 프랑스 제국을 상대로 결정적인 승리를 거둔 아서는 뛰어난 전략과 단호한 리더십으로 야전 원수의 자리에 올랐습니다. 이때 이베리아 반도에서 프랑스군을 완전히 몰아낸 공로를 인정받아 1대 웰링턴 공작으로 작위를 받았고, 50만 파운드의 포상금도 받았습니다. 1815년에는 프로이센 군대와 함께 연합군을 지휘하여 워털루(Waterloo)에서 나폴레옹을 상대로 역사적인 승리를 거두었습니다. 이러한 중요한 순간을 통해 그는 당대 최고의 군사 지휘관 중 한 명으로 명성을 굳혔습니다.

화려한 군 경력을 쌓은 웰링턴 공작은 정계로 진출하여 토리당(Tory)의 일원으로서 큰 공헌을 했습니다. 1828년부터 1830년까지 영국 총리로 재임하고 이후 1834년부터 1835년까지 재임하면서 그의 뛰어난 정치 감각과 공직에 대한 확고한 헌신을 보여주었습니다. 웰링턴 공작의 정치 진출은 지도자로서의 다재다능함과 영국 통치에 대한 그의 지속적인 영향력을 보여주었습니다.

웰링턴 공작의 유산은 군사적, 정치적 업적 그 이상입니다. 수적으로 우세한 군대를 상대로 승리를 거두면서도 손실을 최소화하는 데 탁월한 능력을 발휘한 웰링턴 공작은 역사상 가장 위대한 방어 사령관 중 한 명으로 꼽힙니다. 또한 웰링턴이 군사 전술과 전투 계획에 미친 지속적인 영향은 전 세계 사관학교에서 계속 연구되고 있습니다. 웰링턴의 유산은 그의 불굴의 정신과 국가를 위한 변함없는 헌신을 증명하는 증거로 남아 있습니다.

DE
1810
BATALHA
DO
BVÇACO

24 차이마테 작전(1895)

28 de dezembro de 1895
heroica jornada de chaimite
Mousinho D'Albuquerque
1895년 12월 28일
차이마테 작전
모우지뉴 알부케르크

평정 및 점령 작전(Campanhas de Pacificação e Ocupação)은 19세기 말부터 20세기 초까지 포르투갈 군대가 아프리카에서 수행한 군사 작전을 일컫는 말입니다. 이 작전의 목표는 포르투갈 식민지 영토의 일부인 아프리카 지역에 대한 통제권을 확보하는 것입니다. 이름에서 짐작할 수 있듯이 저항하는 지역을 진정시키고, 진정이 안되면 강제적으로라도 안정을 확보하려는 활동을 하였습니다. 이 작전은 유럽 열강들이 아프리카를 차지하기 위해 경쟁하던 시절 포르투갈 역시 자국의 이익을 위해 전력을 다하는 과정에서 나온 것입니다.

포르투갈은 대항해 시절 탐험으로 획득한 아프리카의 소유권을 주장했지만 새로운 강자가 된 다른 유럽 열강들에게는 인정받기 어려운 주장이 되어버렸습니다. 특히 독일과 프랑스의 압력으로 콩고의 대부분 지역을 벨기에 레오폴드 2세에게 빼앗기게 되면서 발등의 불이 떨어진 상황이 되었습니다.

포르투갈은 아프리카 대륙의 가운데를 가로지르는 앙골라와 모잠비크 사이의 내륙(핑크 지도)이라도 확실하게 차지하기 위해 기니는 프랑스에, 앙골라 남부는 독일에게 넘기는 국제 협상을 할 수 밖에 없었습니다. 그리고 앙골라와 모잠비크 만큼은 포르투갈이 확실하게 지배하고 있다는 입장을 뒷받침하기 위해서 시행한 것이 바로 평정 및 점령 작전입니다.

그때 일어난 가장 중요한 사건 중 하나가 바로 차이미테(Chaimite)에서 군군하나(Gungunhana) 황제가 체포된 일입니다. 군군하나는 오늘날 모잠비크 남부에 위치했던 가자(Gaza) 제국의 마지막 황제였습니다. 군군하나는 유럽 열강들이 아프리카에 눈독들이며 달려드는 상황에서 그들의 경쟁을 역이용하여 가자 제국의 독립을 확보하기 위해 여러 방면으로 애를 썼습니다. 하지만 1891년 6월 가자 제국이 포르투갈령 모잠비크 영토에 속한다는 합의가 포르투갈과 영국 사이에 이루어지면서 더 이상 영국의 지원을 받지 못하고 포르투갈의 지배를 꼼짝없이 받아들여야 하는 상황에 처하게 됩니다.

하지만 아프리카인들에 대한 가혹한 세금과 폭력으로 불만이 쌓여가면서 반란이 발생했습니다. 포르투갈 정부는 이 반란의 배후로 군군하나 황제를 지목했으며, 가자 제국과 영국과의 관계가 가까워지는 것 역시 경계를 하는 상황이었습니다. 포르투갈은 굴욕적인 영국과의 조약(최후통첩 사건으로 강압적으로 맺게 된 1891년 영-포르투갈 조약)에서 아직 회복하지 못했지만, 결국 이 지역의 반란을 진압하기 위해 지원군을 파견했습니다.

1895년 11월 11일 700명의 포르투갈 군대가 별다른 저항을 받지 않고 가자 제국의 수도인 만자카제(Manjacaze)에 무혈입성하게 됩니다. 이미 군군하나 황제는 가자 제국의 창시자이자 그의 할아버지가 묻혀 있는 신성한 마을 차이미테(Chaimite)로 피신한 상태였습니다. 포르투갈 정부에서는 군군하나 황제를 체포하거나 죽여야 한다는 결정을 내리고 그 임무를 기병 장교 알부케르크(Joaquim Augusto Mouzinho de Albuquerque)에게 맡겼습니다.

알부케르크의 부대가 차이미테에 도착한 것은 1895년 12월 28일 새벽이었습니다. 굳건한 방어벽에 물러서지 않고 작은 빈틈을 찾아 입성에 성공하자 300명의 가자 제국의 전사들은 모두 겁을 먹고 도망쳐 버렸습니다. 이미 군군하나 황제가 항복할 것이라는 소문이 며칠 전부터 차이미테에 돌고 있었기 때문입니다. 그리고 군군하나 황제는 알부케르크 군대에 체포된 후 굴욕적인 취급을 당했습니다. 알부케르크는 그에 만족하지 않고 황제의 고문이자 삼촌인 케토(Queto)를 반란 주동자라는 이유로 재판없이 바로 총살을 시켰고, 시체의 심장을 칼로 난도질하라는 명령까지 내렸습니다. 군군하나 황제는 총살 당하는 대신 리스본으로 이송되었고, 얼마 후 아소레스 제도로 추방당한 뒤 11년 뒤에 사망했습니다.

알부케르크가 모잠비크 특히 차이미테에서 한 일들은 큰 논란을 불러일으킬 수 있는 행동이었지만 당시 포르투갈 언론들은 그를 존경받는 영웅으로 조명했습니다. 19세기 말에서 20세기 초까지 유럽 강대국들이 팽창하면서 포르투갈이 보유한 아프리카 식민지에 엄청난 위협을 가하는 상황이었기에 알부케르크의 행동을 일종의 정당방위 또는 국익을 위해 마땅히 해야 할 포르투갈 군인의 표상 정도로 생각했기 때문입니다.

하지만 시간이 흐르면서 아프리카에서의 행적에 대해 부정적인 여론이 형성되기 시작했고, 군인으로서의 자부심과 명예에 흠집이 가는 것을 참지 못한 알부케르크는 1902년 1월 8일 쿠페(Coupé, 프랑스에서 처음 만들어진 17세기 상용 마차) 안에서 자살하면서 생을 마쳤습니다. 그리고 프라제레스(Prazeres) 묘지에 묻혔습니다.

그의 이름은 살라자르 총리가 독재 정치를 실시하던 신국가(Estado Novo) 기간에 정치적인 이유로 다시 한 번 울려 퍼졌습니다. 포르투갈 정부에게 필요한 포르투갈 식민지 확장 및 식민지배에 대한 정당성을 설파하는데 꼭 필요한 영웅이라고 판단했기 때문입니다. 이 재평가는 여전히 남아있어서 포르투갈 기병대가 해외임무에 나갈 때마다 알부케르크의 그림이 기병대 사령관에게 전달된다고 합니다.

영국의 최후통첩 사건

1890년의 영국 최후통첩은 포르투갈 역사에서 중요한 순간이었으며 광범위한 영향을 끼친 긴장된 대치 상황이었습니다. 이 모든 것은 유럽 열강이 식민지 야망을 위해 아프리카 대륙을 개척하던 19세기 후반, 이른바 '아프리카 쟁탈전'에서 시작되었습니다. 당시 포르투갈은 역사적 권리를 바탕으로 아프리카의 광활한 영토를 차지했지만 영국, 프랑스, 독일이 이 지역에 관심을 가지면서 포르투갈의 지배에 위협이 되었습니다.

1870년대에 이르러서는 역사적 권리만으로는 지배력을 유지할 수 없다는 것이 분명해졌습니다. 유럽 열강들의 치열한 과학 및 지리적 탐험은 종종 상업적 이해관계에 부합했습니다. 이로 인해 유럽의 주요 강대국, 특히 팽창주의적 목표를 가진 영국과 포르투갈의 영토 주장이 충돌하게 되었습니다.

1884~1885년 베를린 회의에서 포르투갈이 벨기에의 레오폴드 2세 국왕에게 콩고강 하구에 대한 통제권을 잃으면서 긴장은 더욱 고조되었습니다. 독일과 프랑스의 압력으로 포르투갈은 앙골라와 모잠비크에 대한 영유권을 인정하는 대가로 이들 강대국에 영토를 양도하게 됩니다. 이로 인해 1886년 앙골라에서 모잠비크에 이르는 광범위한 영토를 주장하는 악명 높은 "핑크 지도"가 발표되었습니다.

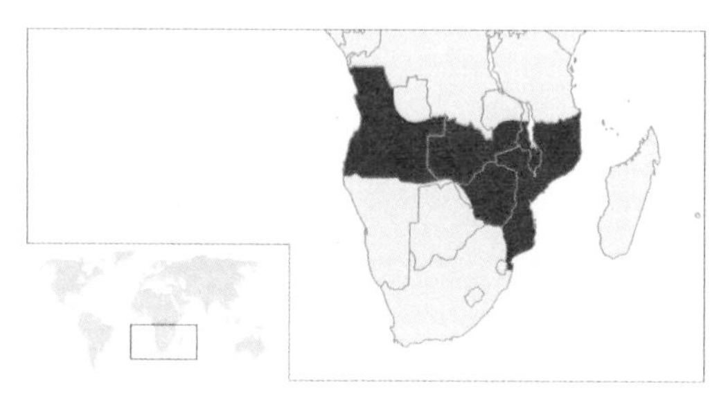

1890년 솔즈베리(Salisbury) 경이 이끄는 영국 정부가 포르투갈에 최후통첩을 내리면서 분쟁은 최고조에 달했습니다. 이 최후통첩은 현재 짐바브웨에 있는 모잠비크와 앙골라 사이의 영토에서 포르투갈 군대를 즉시 철수할 것을 요구했습니다. 영국이 최후통첩을 날린 이유는 아프리카 대륙 전체를 남북으로 횡단하여 카이로와 케이프타운을 연결하는 철도를 건설하고 싶은데 아프리카를 동서로 가로지르는 포르투갈의 핑크 지도(앙골라-모잠비크)가 걸림돌이 되었기 때문입니다. 이는 포르투갈의 권위에 대한 직접적인 도전으로 간주되어 국가적 위기를 촉발했습니다.

포르투갈이 영국의 최후통첩에 굴복하여 체결한 것이 1891년 영-포르투갈 조약입니다. 이는 영국과 포르투갈이 중앙 아프리카에서 각자의 영토 경계를 확정하기 위해 체결한 조약입니다. 이 조약은 20년간 지속되어 온 양국 간의 영유권 분쟁과 상충되는 영토 주장을 마무리했습니다. 또한 1890년 영국의 최후통첩으로 인해 발생한 영-포르투갈 위기도 영국의 뜻대로 마무리되었습니다. 이 조약은 포르투갈 정부가 강압에 의해 수락했으며 포르투갈 의회의 비준을 받지 못했습니다.

영국의 최후통첩은 포르투갈에 중대한 정치적, 사회적 파장을 일으켰습니다. 당시 포르투갈 지식인들은 영국의 최후통첩을 1373년부터 시작된 오랜 동맹국을 상대로 한 파렴치한 행동이라고 비난했습니다. 영국의 이익과 너무 밀접하게 연계되어 있다고 비난받아온 정부가 무너지고 안토니우 데 세르파 피멘텔이 이끄는 새 내각이 임명되었습니다. 이 시기에는 무능한 카를로스 1세와 영국의 이익을 위해 움직이는 집권층을 직접적으로 겨냥한 사회적 불만이 광범위하게 퍼졌습니다. 이 최후통첩은 공화당 운동의 결집점이 되었고, 결국 입헌 군주제가 몰락하고 1910년 공화정이 수립되는 계기가 되었습니다.

영국의 최후통첩의 결과는 포르투갈 사회 전체에 반향을 일으켜 포르투갈의 정치적 진화를 형성하고 식민지 제국에 대한 뿌리 깊은 애착을 키웠습니다. 이 결정적인 순간은 포르투갈 역사의 전환점이 되었으며, 포르투갈의 궤도를 영원히 바꾸고 국민 의식에 지울 수 없는 흔적을 남겼습니다.

HEROICA
JORNADA
DE
CHAIMITE
Victoria P.

25 쿠아마투 작전(1907)

1907
campanha do cuamato
General Alves Roçadas
1907년
쿠아마투 작전
알베스 호사다스

19세기 후반 포르투갈은 광대한 식민지 제국을 유지하고 확장하기 위해 노력했으며, 특히 영국의 최후통첩(English Ultimatum) 이후 군사 위협과 지정학적 압박이라는 문제에 직면했습니다. 포르투갈의 군대가 영국의 요구에 따라 모잠비크에서 철수하면서, 남은 지역의 병력이 약해져 현지 부족들과의 갈등이 발생했습니다.

포르투갈 식민지화에 대한 오밤보(Ovambo) 지역의 저항은 큰 장애물이 되어 앙골라에서 오밤보 지역을 진정시키고 점령하기 위한 대규모 원정을 준비하기 위한 군사적 행동으로 이어졌습니다. 쿠아마토족(Cuamatos)은 주요 분쟁의 원인으로 부상했고, 포르투갈은 쿠아마투 그란드(Cuamato Grande)와 쿠아마투 페케누(Cuamato Pequeno)를 우선적으로 점령하게 됩니다. 호사다스(Roçadas) 요새의 건설은 이러한 영토를 확보하는 것이 전략적으로 중요하다는 것을 더욱 강조했습니다.

무필로 전투가 벌어지기까지 몇 년 동안 지역 주민들과 다양한 전투와 충돌이 벌어졌고, 1904년 비참한 바우 두 펨베(Vau do Pembe) 사건으로 절정에 달했습니다. 포르투갈 군대는 재편성을 거친 후 잘 조직된 병참과 훈련된 병력, 충분한 보급품으로 원정대를 준비하기 시작했습니다.

1907년 8월 27일 앙골라 남동부 지역에서 벌어진 무필로(Mufilo) 전투에서 사용된 전술 기동과 군사 전략은 포르투갈 군의 우세한 전력을 잘 보여주었습니다. 알베스 호사다스(Alves Roçadas)가 이끄는 원정대는 울창한 숲을 뚫고 아우콩고(Aucongo)의 카킴바(cacimbas)를 향해 진격했습니다. 원정대는 무필로 변두리에서 대기하고 있던 수천 명의 쿠아하마와 쿠아마투의 격렬한 저항에 부딪혔습니다.

쿠아마투족을 상대로 사용한 전술은 모잠비크에서의 성공적인 작전을 반영하여 3열로 행진하고 전투 중에는 정사각형 진형을 사용했습니다. 포르투갈군은 쿠아마투족의 수적 우위와 충격 전술에 대응하기 위해 소총 사격과 기관총 사격을 포함한 보병 사격을 효과적으로 활용했습니다.

이 전투는 몇 시간에 걸쳐 격렬한 교전이 벌어졌고 양측 모두 상당한 사상자를 냈습니다. 포르투갈군은 특히 일부 부대와 장비의 취약성으로 인해 어려움에 직면했습니다. 그러나 기병대의 돌격과 방어 참호 건설을 포함한 전략적 작전으로 포르투갈군은 결국 힘겨운 승리를 거두었습니다.

알베스 호사다스의 리더십은 무필로 전투에서 포르투갈 원정군의 작전과 전술적 결정을 조율하는 데 중요한 역할을 했습니다. 그의 전략적 통찰력과 지휘력은 막강한 적군을 상대로 승리를 거두는 데 중추적인 역할을 했습니다.

이 전투의 지정학적 의미는 포르투갈의 식민지 야망에 중요한 영향을 미쳤습니다. 무필로 전투 이후 오밤보 영토를 성공적으로 진정시키고 점령함으로써 포르투갈은 이 지역에 대한 지배력을 더욱 공고히 했습니다. 또한 포르투갈은 저항하는 원주민에 대한 권위를 행사할 수 있는 능력을 보여줌으로써 남부 아프리카에서 식민지 입지를 강화했습니다.

바우 두 펨베(Vau do Pembe) 전투

바우 두 펨베(Vau do Pembe) 전투는 1904년 9월 25일 포르투갈 군대와 쿠아마투 전사들이 맞붙은 것입니다. 배경을 잠시 살펴보면 1880년대 중반부터 포르투갈 식민지 앙골라와 남서아프리카에 위치한 독일 식민지 사이의 국경 부근에서 군사적인 긴장감이 점점 높아지던 때입니다. 언제 어떻게 생길지 모르는 독일과의 충돌에 대비하기 위해서는 식민지 앙골라 내부의 안정이 무엇보다 필요해졌습니다.

원주민의 저항을 진압하기 위해 출동한 500명의 포르투갈 군대는 앙골라 쿠네네(Cunene) 강 근처에 있는 바우 두 펨베(Vau do Pembe)에서 10배가 넘는 5000명 규모의 쿠아마투 전사들과 맞붙게 됩니다. 숫자의 열세를 극복하지 못한 포르투갈군은 병력의 절반인 250명을 잃는 참패를 당했고, 이는 아프리카가 유럽 강대국을 상대로 거둔 몇 안 되는 승리 중 하나가 되었습니다.

CAMPANHA
DO
CUAMATO

26 1차 세계대전 첫 전사자(1914)

1914-1918
Grande Guerra assalto a uma trincheira
Antônio Curado
1914-1918
1차 세계대전
안토니우 쿠라두

안토니우 곤살베스 쿠라두(António Gonçalves Curado)는 1894년 9월 29일 포르투갈의 그림 같은 마을 빌라 노바 다 바키냐(Vila Nova da Barquinha)에서 태어났습니다. 이 소박한 청년이 영웅주의와 애국심의 상징이 될 줄은 아무도 몰랐습니다. 빌라 노바 다 바르키냐의 고요한 환경에서 성장하고 형성기를 보냈을 때만 해도 앞으로 일어날 중대한 사건에 대해 거의 짐작하지 못했을 것입니다.

어린 시절의 평온한 삶에도 불구하고 안토니우 곤살베스 쿠라두는 다른 길로 향했습니다. 조국에 대한 깊은 사명감과 확고한 헌신으로 그는 존경받는 제28보병연대에 입대하여 군인의 길로 들어섰습니다. 군 생활을 하기로 한 그의 결정은 운명적인 역사와의 만남으로 이어졌습니다.

1914년 제1차 세계대전이 시작되었을 때 포르투갈은 처음에는 중립을 유지했습니다. 그러나 포르투갈은 영국의 원조 요청에 응하고 아프리카 식민지를 보호하기 위해 1914년과 1915년 독일 남서아프리카와 국경을 접한 포르투갈 앙골라 남부에서 독일군과 충돌을 일으켰습니다. 당시 포르투갈 제품의 가장 중요한 시장이었던 영국을 봉쇄하려는 독일의 U보트 전쟁으로 인해 독일과 포르투갈 간의 긴장이 고조되기도 했습니다. 결국 1916년 포르투갈 항구에 정박해 있던 독일 선박이 몰수되는 사건으로 긴장이 절정에 도달했고, 이에 독일은 1916년 3월 9일 선전포고로 대응했으며, 곧이어 포르투갈도 상호 선전포고를 발표했습니다.

전 세계가 제1차 세계대전의 화염에 휩싸였을 때, 안토니우 곤살베스 쿠라두는 자신이 부름을 받았다는 사실을 깨달았습니다. 1917년 2월, 그는 전쟁의 끔찍한 현실을 마주할 준비를 하고 프랑스로 향했습니다. 불확실성과 위험이 큰 시기였지만 안토니우 곤살베스 쿠라두는 흔들리지 않는 용기로 조국을 위해 봉사할 준비를 하며 굳건히 서 있었습니다.

1917년 4월 4일, 프랑스 라벤티(Laventie) 마을에서 비극적으로도 역사의 흐름과 안토니우 곤살베스 쿠라두의 삶이 얽히면서 그의 이름은 포르투갈 군사 역사에 영원히 새겨지게 됩니다. 그는 불굴의 용기로 1차 세계대전 중 프랑스에서 전사한 최초의 포르투갈 출신 군인이 되었습니다.

그의 갑작스러운 죽음을 둘러싼 상황은 매우 가슴 아프게 다가옵니다. 동료 병사들과 나란히 서서 끊임없는 포격에 맞서 진지를 지키고 있을 때 운명은 잔인한 손을 내밀었습니다. 박격포탄이 대피소에 떨어졌고, 안토니우 곤살베스 쿠라두는 심각한 부상을 입었습니다. 그는 용감하게 싸웠지만 워낙 부상의 정도가 심각했기에 조국에 대한 이타심과 헌신의 유산을 남기고 세상을 떠났습니다.

안토니우 곤살베스 쿠라두에 대한 기억은 그의 영웅적인 희생에 바쳐진 끊임없는 헌사와 추모를 통해 계속 이어지고 있습니다. 그의 유해는 원래 라벤티에 있는 영국군 묘지에 안장되어 경건한 마음으로 추모되었습니다. 그러나 1929년, 제1차 세계대전 추모기념 사업의 중대한 계획에 따라 그의 유해가 고향인 바르키냐로 송환되었습니다.

이 엄숙한 행사는 그의 마지막 안식처가 그의 기억을 기리는 중심지가 되면서 애국심과 존경의 깊은 표시로 표시되었습니다. 포르투갈 전역에서 지역사회가 조국을 위해 목숨을 바친 이 용감한 군인에게 경의를 표하기 위해 함께 모였습니다.

1937년에는 바르키냐에 1차 대전 전사자 기념비를 제막하며 추모 행사가 이어졌습니다. 이 기념식은 고위 인사, 군인, 시민이 모두 모여 안토니우 곤살베스 쿠라두와 포르투갈을 위해 목숨을 바친 모든 이들의 희생을 기리는 뜻깊은 행사였습니다.

GRANDE GUERRA
ASSALTO
A UMA TRINCHEIRA

27 아우구스투드 카르틸뉴 호의 영웅적인 싸움(1918)

14 de outubro de 1918
Luta Heróica do Augusto Castilho
1st tenente Carvalho Araujo
1918년 10월 14일
아우구스투 드 카르틸뉴 호
아라우주 중위

무대는 전 세계가 분쟁의 소용돌이에 휩싸였던 제1차 세계대전을 배경으로 합니다. 1918년 10월 13일 상 미겔 호는 마데이라 섬과 아조레스 제도를 연결하는 중요한 생명선으로 당시 수 톤의 화물과 200명이 넘은 승객을 싣고 마데이라 푼샬(Funchal)에서 아조레스 폰타 델가다(Ponta Delgada)로 운항하기로 되어 있었습니다. 아라우주 중위가 지휘하는 순찰함 NRP 아우구스투 드 카스틸류(Augusto de Castilho) 호의 새로운 임무는 포르투갈의 민간 증기선인 상 미겔 호를 호위하는 것이었습니다. 이 배의 호위를 맡은 카스틸류 호는 원래 1909년 완성된 대구잡이 어선 엘리트(Elite)였지만 2016년 포르투갈의 제1차 세계대전 참전이 결정되면서 군에 징발되어 이름을 바꿔 순찰함 임무에 투입되었습니다.

1918년 10월 14일 새벽, 독일의 전설적인 잠수함 지휘관 로타르 폰 아르놀드 드 라 페리에르(Lothar von Arnauld de la Perière)가 지휘하는 독일 잠수함 U-139이 나타났습니다. 첨단 무기로 무장한 강력한 적 U-139는 취약한 호송함에 끔찍한 위협을 가했습니다.

아라우주의 전략적 통찰력과 확고한 결단력은 상 미구엘을 지키기 위한 용감한 방어를 조율하는 과정에서 빛을 발했습니다. 호위함의 빈약한 무기를 포함한 모든 자원을 동원해 아라우주는 대담한 전술 작전을 수행하여 민간 증기선을 임박한 위험으로부터 보호했습니다. 먼저, 가지고 있는 모든 연막탄을 사용하려 적의 시야를 가리고, 화끈한 대포 사격을 통해 상대가 선뜻 다가오지 못하도록 하여 상 미겔 호가 도망갈 수 있는 시간을 벌었습니다. 무기가 떨어지자 상 미겔 호와 적 잠수함 사이에 끼어든 후 잠수함을 향해 진격했습니다. 그 과정에서 적의 포격을 그대로 받음으로써 상 미겔 호를 보호했습니다.

두 시간 동안 격렬한 전투를 벌인 아우구스투 데 카스틸류는 적의 포격을 용감하게 견뎌냈지만 막대한 인명 손실과 돌이킬 수 없는 피해를 입었습니다. 승조원 중 치명적인 사상자가 발생하고 함정 무기에 심각한 손상을 입었으며 중요한 통신 및 추진 시스템이 손실되는 등 일방적인 대치 상황으로 인한 피해는 막대했습니다. 용감한 저항에도 불구하고 NRP 아우구스투 데 카스틸류는 결국 끊임없는 공격에 굴복했고, 포르투갈 국기가 내려지고 항복의 의미로 백기가 게양되는 가슴 아픈 항복의 순간이 절정에 달했습니다.

항복기가 게양되었음에도 적 잠수함의 공격은 좀더 지속되었고, 마지막 공격 과정에서 아라우주는 목숨을 잃었습니다. 독일군은 살아남은 아라우주의 부하들을 구명보트에 탈 수 있게 해주고, 호위함 NRP 아우구스투 데 카스틸류를 침몰시켜버립니다. 생존자들은 바다를 표류하다가 48시간 만에 산타마리아 섬에 도착하면서 목숨을 건질 수 있었습니다.

한편, 위협적인 독일의 잠수함 U-139는 1918년 11월 11일 휴전으로 제1차 세계대전이 끝이 나고 24일, 이 잠수함이 프랑스에 항복하면서 운행을 중단하게 됩니다. 상 미겔 호를 둘러싼 NRP 아우구스투 데 카스틸류와의 교전은 U-139의 마지막 임무가 되었습니다.

이 결정적인 전투의 문화적, 사회적, 경제적 파급 효과는 전쟁터를 훨씬 뛰어넘어 울려 퍼졌습니다. 포르투갈의 집단 의식은 희생과 용기에 대한 심오한 이야기를 증언했으며, 국가의 명예를 지키기 위해 결연히 맞섰던 사람들의 유산을 불멸의 유산으로 남겼습니다. NRP 아우구스투 데 카스틸류와 상 미겔의 이야기는 역경 속에서도 포르투갈의 끈질긴 정신을 보여주는 가슴 아픈 증언으로 국민적 기억 속에 자리 잡았습니다.

로타르 폰 아르눌드 드 라 페리에르

로타르 폰 아르눌드 드 라 페리에르(Lothar von Arnauld de la Perière)는 1886년 3월 18일 독일 제국의 포센(현 포즈난(Poznań))에서 태어났습니다.

아르눌드 드 라 페리에의 해군 경력은 1903년 카이저리히(Kaiserliche) 해병대에 입대하면서 시작되었습니다. 독일 제국 해군에 입대한 그는 전함 SMS 쿠르퓌르스트 프리드리히 빌헬름, 슐레지엔, 슐레스비히 홀슈타인을 비롯한 다양한 함정에서 근무했습니다. 특히 1911년부터 1913년까지 경순양함 SMS 엠덴에서 어뢰 장교로 복무하기도 했습니다.

제1차 세계대전이 발발하자 아르놀드 드 라 페리에의 역할은 극적인 전환을 맞이합니다. 1915년 U보트로 자리를 옮긴 그는 그해 11월 U-35의 지휘관으로 취임했습니다. 194척의 선박을 침몰시키고 453,716톤의 총톤수(GRT)를 심해에 수장시키는 놀라운 성과를 거두며 전설적인 U보트 사령관으로 재임했습니다. 특히 이러한 승리의 대부분은 지중해에서 이루어졌으며, 그는 8.8cm 갑판포를 능숙하게 활용하여 파괴적인 효과를 거두었습니다.

특히 많은 인명 손실을 초래한 비극적인 사건인 프랑스 군용 항공모함 SS 갈리아 호의 침몰은 그의 전시 업적 중 가장 가슴 아픈 순간 중 하나입니다. 그는 독일에 대한 변함없는 헌신과 해전에서의 놀라운 성공으로 1916년 1등 및 2등 아이언 크로스 훈장, 권위 있는 푸르 르 메리트 훈장 등의 영예를 얻었습니다.

제1차 세계대전이 끝난 후 아르놀드 드 라 페리에는 대폭 축소된 독일 해군에서 계속 복무했습니다. 전전 기간 동안 그는 전함인 SMS 하노버와 SMS 엘사스의 항해 장교로 복무했으며, 1928년부터 1930년까지 경순양함 엠덴을 지휘하는 등 많은 공헌을 했습니다. 1932년부터 1938년까지 터키 해군 사관학교에서 교수직을 맡으면서 그의 지식과 전문성을 더욱 공유했습니다.

제2차 세계대전이 발발하자 아르놀드 드 라 페리에는 다시 한 번 현역으로 부름을 받았습니다. 벨기에 단치히, 네덜란드, 이후 브르타뉴에서 해군 사령관으로 중추적인 역할을 수행하며 해군 작전에 대한 그의 확고한 헌신을 보여주었습니다. 1941년 프랑스 르부르제 공항 근처에서 비행기 추락 사고로 사망하면서 그의 경력은 갑작스럽게 막을 내렸습니다. 그는 베를린의 인발리덴프리트호프에 안장되었습니다.

LUTA
HEROICA
DO
AUGUSTO CASTILHO

권말부록
포르투갈 왕 이야기

포르투갈 왕위 계승사:
왕관을 차지한 네 가문의 이야기

포르투갈 왕국은 1139년 포르투갈 왕국 설립부터 포르투갈 군주제가 폐지되고 1910년 포르투갈 공화국이 탄생하기까지 이어집니다. 이 기간 동안 포르투갈을 통치한 다양한 왕가를 소개합니다:

부르고냐(Borgonha) 왕가(1139-1383): 아폰시나(Afonsina) 왕가라고도 불리는 이 가문은 포르투갈 왕국의 건국 가문이었습니다. 독립을 선언한 아폰수 1세(Afonso I)는 이 가문을 왕실 가문으로 탈바꿈시켰습니다. 이 왕조는 헤콩키스타(Reconquista, 국토회복) 기간 동안 포르투갈의 영토를 확장했습니다.

아비스(Aviz) 왕가(1385-1580): 이 왕가는 부르고냐 왕조의 뒤를 이은 왕가로 주아니나(Joanina) 왕가라고도 불렸어요. 아비스 교단의 그랜드 마스터인 포르투갈의 주앙 1세(João I)가 이 가문을 세웠습니다. 이 가문에서 가장 유명한 인물은 포르투갈의 탐험과 식민지 개척에 중요한 역할을 한 항해왕 엔히크(Henrique, 주앙 1세의 다섯 번째 아들)입니다.

합스부르크(Habsburgo) 왕가(1581-1640): 필리피나(Filipina) 왕가로 알려진 이 가문은 1580년 스페인의 펠리페(Felipe) 2세가 포르투갈의 필리프(Filipe) 1세로 선포되면서 집권했습니다. 이 기간 동안 포르투갈은 이베리아 연합의 일원으로 스페인의 통치를 받았습니다.

브라간사(Bragança) 왕가(1640-1910): 브리간티나(Brigantina) 왕가라고도 불리는 이 가문은 사라진 아비스 가문의 적법한 상속자라고 주장한 브라간자 공작 주앙 4세(João IV)를 통해 권력을 잡았습니다. 주앙 4세는 포르투갈 복원 전쟁에서 합스부르크 가문을 축출했습니다.

각 왕가는 포르투갈의 역사에 고유한 공헌과 도전을 가져왔습니다. 통치 기간은 군주마다 달랐으며 수십 년 동안 통치한 군주도 있었어요. 특정 군주들 사이에는 왕위 계승 위기와 정통성 논란이 있었던 시기가 있었다는 점에 유의하는 것이 중요합니다.

1. 부르고냐 왕가

아폰수 1세(Afonso I)

아폰수 1세(Afonso I)라고도 알려진 아폰수 엔히크스(Afonso Henriques) 왕은 포르투갈의 초대 국왕으로 포르투갈의 역사를 형성하는 데 중추적인 역할을 했습니다. 아폰수 1세의 정확한 생년월일과 출생지는 아직 확실하지 않아서 1106년, 1109년 또는 1111년경 정도로 추정되고 있습니다. 그러나 그의 삶에서 큰 의미를 지닌 도시인 기마랑이스(Guimarães)에서 태어나고 자랐다고 널리 알려져 있습니다.

아폰수 1세는 부르고뉴의 앙리(Henry of Burgundy) 백작과 레온(León)의 테레사의 아들로 태어났습니다. 그의 부모의 결혼은 부르고뉴와 레온의 귀족 가문을 하나로 묶었고, 그들의 결합은 미래의 포르투갈 왕을 탄생시켰습니다. 에가스 무니즈(Egas Moniz IV de Ribadouro)라는 저명한 인물이 아폰수의 후견인이자 교육자 역할을 맡았습니다. 에가스 무니즈의 지도 아래 아폰수는 종합적인 교육을 받고 훌륭한 인격을 갖춘 청년으로 성장했습니다.

아폰수의 어린 시절, 레온 왕국의 일부였던 포르투칼레 카운티(포르투갈 백작령)의 정치 환경은 혼란스러웠습니다. 1112년 앙리 백작이 사망한 후 그의 아내 테레사가 카운티를 장악했습니다. 그러나 테레사가 갈리시아 귀족 페르낭 페레스(Fernão Peres de Trava)과 동맹을 맺자 포르투갈 백작령에 대한 갈리시아의 영향력이 커져가는 것에 대해 불안을 느끼는 사람들이 많아졌습니다.

1128년, 19세 무렵 아폰수는 어머니 테레사와 그녀의 정부 페르난 페레스의 동맹에 반대하는 정치적 입장을 취했습니다. 그는 기사로 무장하고 상 마메드(São Mamede) 전투에서 어머니의 군대를 상대로 전투에 참여했습니다. 이 전투에서 아폰수가 승리를 거두면서 포르투칼레 카운티의 통치권을 장악했습니다. 이때부터 그는 포르투갈을 독립 왕국으로 세우는 데 주력했습니다.

아폰수 엔히크스는 포르투갈을 주권 국가로 인정받기 위해 헌신적으로 노력했습니다. 1139년, 아폰수는 무어 군대를 상대로 한 오우리크(Ourique) 전투에서 결정적인 승리를 거둔 후 자신을 포르투갈의 왕으로 선포했습니다. 이 선언은 1143년 아폰수와 그의 사촌이자 레온과 카스티야의 황제인 알폰소 7세(Alfonso VII) 사이에 체결된 자모라 조약(the Treaty of Zamora)으로 인정받게 됩니다.

포르투갈의 독립은 1179년 교황 알렉산더 3세(Alexander III)가 포르투갈을 독립 왕국으로 공식 인정하는 교황 칙령 '마니페스티스 프로바툼(Manifestis Probatum)'을 발표하면서 더욱 확고해졌습니다. 이 문서는 기독교를 수호하기 위한 아폰수의 헌신을 칭찬하고 그를 용감한 전사로 묘사했습니다.

아폰수 엔히크스의 통치는 군사적 정복과 영토 확장으로 특징지어집니다. 그는 북유럽 십자군의 지원을 받아 무어족 영토에 대한 성공적인 군사작전을 이끌었습니다. 1147년에는 제2차 십자군 전쟁 중 포르투갈에 도착한 십자군의 도움으로 리스본을 정복했습니다.

리스본을 점령한 후 아폰수는 포르투갈 영토를 남쪽으로 확장하는 데 주력했습니다. 그는 알렌테주(Alentejo) 전역에서 벌어진 전투에서 큰 승리를 거두며 국경을 남쪽으로 더 확장하고 물려받은 영토를 두 배 이상 늘렸습니다.

아폰수 엔히크스는 1185년 12월 6일 코임브라(Coimbra)에서 사망할 때까지 포르투갈을 계속 통치했습니다. 그는 코임브라의 산타크루즈 수도원(the Monastery of Santa Cruz)에 묻혔습니다. 그의 업적에는 포르투갈을 독립 왕국으로 세우고, 국경을 확장하고, 교황으로부터 외교적 인정을 받은 것이 포함됩니다. 그는 종종 국민적 영웅으로 칭송받으며 'Conquistador'(정복자), 'Rei Fundador'(건국 왕) 등의 별명으로도 알려져 있습니다.

산슈 1세(Sancho I)

"정착 왕(O Povoador)"라고도 알려진 산슈 1세(Sancho I)는 1154년 11월 11일 포르투갈 코임브라에서 태어났습니다. 그는 아폰수 엔히크스(Afonso Henriques)와 사보이 출신의 마팔다(Mafalda of Savoy) 왕비 사이에 태어난 다섯째 아이였습니다. 원래 이름은 마르티뉴(Martinho)였으나 산슈가 세 살 때 형인 엔히크(Henrique) 왕자가 사망한 후 산슈 아폰수(Sancho Afons)로 알려지게 되었습니다.

아버지의 통치 기간 동안 산슈는 1170년 8월 기사 작위를 받았으며, 아버지의 이름으로 통치하는 섭정 위원회의 일원이 되었습니다. 섭정은 산슈와 그의 누이 테레사가 이끌었고 이복형 페르난두 아폰수가 함께했습니다. 산슈는 점차 군사 문제 등 통치 역할을 맡았고 테레사는 행정 업무에 집중했습니다.

포르투갈은 독립 왕국으로서 초기에 많은 도전에 직면했습니다. 산슈는 주변 왕국, 특히 이전에 포르투갈을 지배했던 레온(León)의 외부 위협에 대처해야 했습니다. 포르투갈의 입지를 강화하기 위해 산슈는 아라곤(Aragon)을 비롯한 다른 이베리아 왕국과의 동맹을 모색했습니다. 1174년 아라곤 왕 알폰소 2세(Alfonso II)의 누이인 아라곤의 둘세(Dulce)와 결혼하여 중요한 동맹을 확보했습니다.

1185년 아버지가 사망하자 산슈는 왕위에 올라 코임브라의 왕으로 즉위했습니다. 그의 통치는 포르투갈 영토를 통합하고 확장하는 데 중점을 두었습니다. 그는 갈리시아와의 국경 전쟁을 종식시키고 남쪽의 무어인으로부터 영토를 정복하는 데 군사력을 집중했습니다. 주목할 만한 업적 중 하나는 1189년 알가르브(Algarve) 지역의 중요한 행정 및 경제 중심지였던 실브스(Silves)를 정복한 것입니다.

산슈 1세는 왕국의 정치적, 행정적, 경제적 측면을 조직하는 데에도 상당한 관심을 기울였습니다. 그는 산업의 발전과 상인과 상인으로 구성된 중산층의 성장을 장려했습니다. 그는 베이라(Beira)와 트라스 오스 몬테스(Trás-os-Montes) 지역의 마을에 여러 개의 헌장(forais)을 부여하여 플랑드르(Flanders)와 부르고뉴(Burgundy)에서 온 이민자들로 새로운 도시를 건설하고 외딴 지역에 정착하도록 장려했습니다.

왕은 예술과 문학에 대한 열정을 가지고 있었으며 자작시를 많이 남겼습니다. 그의 통치 기간 동안 일부 포르투갈 학자들은 외국 대학에서 유학했고, 한 그룹의 법학자들은 이탈리아 볼로냐(Bologna)에서 법률 교육을 받았습니다.

산슈 1세는 1188/89년과 1209년 10월에 두 차례에 걸쳐 유언장을 작성했습니다. 1209년에 작성된 두번째 유언장은 그가 사망할 당시 이미 격동의 시기를 겪고 있던 포르투갈에 갈등을 유발하였습니다. 산슈는 딸인 마팔다(Mafalda), 테레사(Teresa), 산타 산샤(Santa Sancha)에게 포르투갈의 여왕이라는 칭호와 함께 몬테모르우 벨류(Montemor-o-Velho), 세이아(Seia), 알렌케르(Alenquer) 등 중앙에 있는 일부 성을 주고 그곳에서 나오는 수입을 가질 수 있도록 했습니다. 하지만 산슈 1세의 아들이자 후계자인 아폰수 2세(Afonso II)는 왕실 중앙집권화에 반한다는 이유로 유언을 따르지 않았고, 결국 이 문제는 그의 통치 기간 내내 계속되었고, 왕과 공주들 중 한 쪽을 지지하는 파벌 간의 귀족 분쟁으로 점철되었습니다.

산슈 1세는 1211년 3월 26일 코임브라(Coimbra)에서 56세의 나이로 세상을 떠났고, 아버지인 아폰수 1세와 함께 코임브라의 산타 크루즈 수도원(the Monastery of Santa Cruz)에 묻혔습니다.

요약하자면 산슈 1세는 포르투갈을 독립 왕국으로 통합하고 영토를 확장하는 데 중요한 역할을 했습니다. 그는 외딴 지역의 정착을 촉진하고 경제 성장을 촉진하며 문화 발전을 장려하는 데 주력했습니다. 그의 통치는 무어인들에 대한 성공적인 군사 작전과 주변 왕국들과의 외교적 동맹으로 특징지어집니다. 그러나 그의 유언은 이후 통치 기간 동안 지속되는 갈등을 야기했습니다. 전반적으로 산슈 1세의 유산은 포르투갈의 초기 발전과 국가 안정에 기여했다는 점에서 긍정적으로 평가되고 있습니다.

아폰수 2세(Afonso II)

"뚱보(o Gordo)"라고도 알려진 포르투갈의 아폰수 2세(Afonso II)는 1211년 3월 26일부터 1223년 3월 25일 사망할 때까지 통치한 포르투갈의 3대 국왕이었습니다. 1185년 4월 23일 코임브라에서 태어난 아폰수는 산슈 1세(Sancho I)와 아라곤의 둘세(Dulce) 왕비 사이에서 태어난 아들이었습니다. 그는 부부의 첫 아이였으며 세 명의 누나가 있었습니다. 그의 출생은 포르투갈의 초대 국왕인 할아버지 아폰수 엔히크스(Afonso Henriques)가 사망한 해와 일치합니다.

아폰수 2세는 아버지 산슈 1세가 사망한 후 1211년 3월 26일에 왕이 되었습니다. 아폰수 2세의 왕위 계승은 아버지로부터 일부 성과 땅을 물려받은 포르투갈의 마팔다, 테레사, 산타 산샤 자매와의 내부 갈등으로 점철되었습니다. 아폰수 2세는 왕권을 중앙집권화하려 했고, 이로 인해 누이들과 갈등을 빚었습니다. 이 갈등은 교황 이노센트 3세(Inocêncio III)의 개입으로 해결되었습니다.

아폰수 2세는 통치 기간 동안 영토 확장을 추구하기보다는 국가의 경제 및 사회 구조를 공고히 하는 데 주력했습니다. 그는 갈리시아(Galiza) 및 레온(Leão)과의 국경에 이의를 제기하지 않았으며, 알카세르 두 살(Alcácer do Sal), 보르바(Borba), 빌라 비쏘사(Vila Viçosa), 베이로스(Veiros) 등 무어인들로부터 일부 도시를 탈환하기는 했지만 남쪽으로의 확장을 추구하지도 않았습니다.

아폰수 2세는 포르투갈 최초의 성문법을 제정하고 1211년 코임브라에서 성직자 및 귀족 대표와 함께 최초의 의회(cortes)를 개최한 것으로도 유명합니다. 그의 통치 기간 동안 재산의 법적 지위를 결정하고 지주의 특권과 면책을 확인하기 위한 조사가 수행되었습니다.

그러나 그의 통치는 교황청과의 외교적 갈등으로 점철되기도 했습니다. 아폰수 2세는 국가의 성직자 권한을 축소하고 교회 수입의 일부를 국가적 목적에 사용하고자 했습니다. 이로 인해 교황 호노리우스 3세(Honório III)에 의해 파문당했습니다.

아폰수 2세는 1223년 3월 25일 코임브라에서 37세의 나이로 사망했습니다. 그의 유해는 포르투갈 레이리아 알코바사에 있는 알코바사 수도원(Mosteiro de Alcobaça)에 묻혀 있습니다. 그는 교회에 대한 정책을 바꾸기 위해 진지하게 노력하지 않았기 때문에 죽을 때까지 파문당한 채로 남아있었습니다.

산슈 2세(Sancho II)

"카펠로(the Capelo)", "경건한 왕(the Pious)"으로도 알려진 산슈 2세(Sancho II)는 1209년 9월 8일 포르투갈 코임브라에서 태어났습니다. 그는 아폰수 2세 왕과 그의 아내 카스티야 출신 우하카(Urraca of Castile) 왕비 사이에서 태어난 장남이었습니다. 산슈 2세는 1223년 3월 26일 아버지인 아폰수 2세가 사망한 후 왕위에 올랐습니다.

산슈 2세는 통치 기간 동안 수많은 도전에 직면했습니다. 왕국은 흉작, 물가 상승, 기근 등 경제적 어려움에 시달렸습니다. 또한 왕은 교회, 특히 포르투(Porto)의 마르티뉴 호드리게스(Martinho Rodrigues)와 브라가(Braga)의 에스테반 소아레스 다 실바(Estêvão Soares da Silva)와 같은 주교들과도 갈등을 겪었습니다. 이러한 갈등은 교회 재산에 대한 관할권과 통제권에 대한 이견에 뿌리를 두고 있었습니다.

이러한 도전에도 불구하고 산슈 2세는 무어인들을 상대로 한 군사 작전을 통해 왕국을 확장하기 위해 노력했습니다. 그러나 산슈 2세의 통치 기간 동안 정복에 중요한 역할을 한 것은 주로 산티아고 훈령과 기타 군사 명령이었습니다. 산슈 2세는 이러한 명령에 따라 새로 정복한 영토에 인구를 유입하고 요새를 구축했습니다.

왕의 리더십 스타일과 정치적 결정은 종종 반대와 비판에 부딪혔습니다. 그는 교회와의 갈등으로 인해 1234년 교황에 의해 파문당했습니다. 산슈 2세는 또한 내부 반란에 직면했는데, 특히 남동생인 불로냐 백작 아폰수(Afonso)가 산슈 2세와 메시아 로페스(Mécia Lopes de Haro)와의 결혼을 불법이라고 고발했습니다.

1245년 불로냐 백작 아폰수는 산슈 2세에 대한 반란을 주도하여 1247년 국왕 산슈 2세를 퇴위시키는 결과를 초래했습니다. 산슈 2세가 그해 1월 4일 유배지인 톨레도에서 사망한 후 동생인 아폰수 3세는 1248년 포르투갈의 왕으로 즉위했습니다. 산슈 2세의 유해는 스페인 톨레도 대성당에 묻힌 것으로 추정됩니다.

아폰수 3세(Afonso III)

볼로냐의 아폰수(Afonso the Bolognian)라고도 알려진 아폰수 3세(Afonso III)는 1210년 5월 5일 포르투갈 코임브라에서 태어났습니다. 그는 아폰수 2세 왕과 그의 아내 카스티야 출신의 우하카 왕비 사이에서 태어난 둘째 아들이었습니다. 왕세자가 아닌 왕자였던 아폰수는 왕위를 물려받을 것으로 예상되지 않았기 때문에 프랑스에서 살다가 1235년 볼로냐(Bolonha,) 백작 부인 마틸드 2세(Matilde II)와 결혼했습니다. 그러나 아폰수와 그의 형 산슈 2세 사이의 내전을 승리로 이끈 아폰수는 결국 형을 폐위시키고 섭정이 되었고 그가 죽자마자 1248년 포르투갈의 5대 왕이 되었습니다.

아폰수 3세는 통치 기간 동안 행정 조직 개편과 권력 통합에 주력했습니다. 그는 중산층 상인과 소규모 지주에게 특별한 관심을 기울여 그들의 불만을 경청하고 이를 해결하기 위한 정책을 시행했습니다. 그의 목표는 왕국의 모든 주민에게 평등을 보장하는 법적 틀을 확립하는 것이었습니다. 또한 아폰수 3세는 남부에서 포르투갈 영토를 확장하기 위한 군사 작전을 수행했으며, 1249년 알가르브 지역을 최종 정복하면서 정점을 찍었습니다.

아폰수 3세의 중요한 업적 중 하나는 1254년 최초로 지방자치단체의 대표들까지도 참여한 코르테스(의회)를 소집하여 사회 각 부문의 대표들이 의사 결정에 참여할 수 있도록 한 것입니다. 아폰수 3세는 귀족과 성직자의 남용을 제한하는 법안을 통과시키고 교회에 수많은 특권을 부여했습니다. 또한 행정 개혁을 시행하고 신도시를 건설했으며 경제 발전을 촉진하기 위해 헌장을 부여했습니다.

아폰수 3세는 재위 기간 동안 성직자들의 도전에 직면했고 교회와의 갈등에 휘말리게 되었습니다. 그는 브라가 대주교, 코임브라 및 포르투 주교, 심지어 1268년 교황 클레멘트 4세(Clement IV)로부터 파문당했습니다. 교회와의 갈등은 성직자와 귀족을 억압하여 지방 권력의 균형을 맞추기 위한 그의 법안에서 비롯되었습니다. 그러나 말년에 아폰수 3세는 교회와의 화해를 모색하고 교회로부터 빼앗은 모든 것을 회복하겠다고 약속했습니다.

아폰수 3세는 생전에 두 번 결혼했습니다. 볼로냐의 마틸드 2세와의 첫 번째 결혼에서는 자녀를 낳지 못했습니다. 마틸드를 폐위한 후 1253년 카스티야의 베아트리즈(Beatriz of Castile)와 두 번째 결혼을 했습니다. 두 사람은 포르투갈의 후계자 디니스 1세(Dinis I)를 포함해 여러 자녀를 낳았습니다. 아폰수 3세는 다른 관계에서 낳은 자녀도 있었습니다.

아폰수 3세는 1279년 2월 16일 68세의 나이로 사망하고 알코바사 수도원에 묻혔습니다. 그의 통치 기간은 포르투갈의 사회 발전과 경작지 확대의 시기였습니다. 그는 포르투갈의 완전한 독립에 기여하고 보다 체계적인 군주제를 확립한 뛰어난 행정가로 기억되고 있습니다.

디니스 1세(Dinis I)

농부(the Farmer)라고도 알려진 디니스 1세(Dinis I)는 1279년 2월 16일부터 1325년 1월 7일 사망할 때까지 포르투갈과 알가르브의 국왕이었습니다. 1261년 10월 9일 리스본에서 태어난 그는 포르투갈의 아폰수 3세 왕과 그의 두 번째 부인 베아트리즈(Beatriz of Castile) 사이에서 태어난 장남이었습니다. 디니스는 정치적 결정뿐만 아니라 예술과 교육에 대한 후원을 통해 포르투갈에 지속적인 영향을 남긴 군주였습니다.

왕위 계승자인 디니스 1세는 아버지의 가르침에 따라 어릴 때부터 통치에 참여했습니다. 1279년 왕위에 올랐을 때 포르투갈은 카스티야 왕국의 혼란과는 대조적으로 내부적으로 안정을 누리고 있었습니다. 그의 초기 업적 중 하나는 교황 니콜라스 4세(Nicholas IV)와 화의를 체결하여 가톨릭 교회와의 관계를 정상화한 것이었습니다. 이 조약은 포르투갈 교회의 이익을 보호하고 부친의 통치 기간 동안 발생한 갈등을 해결했습니다.

디니스 1세는 예술과 문학의 후원자였습니다. 그 자신도 유명한 음유시인이었으며 이베리아 반도의 음유시 발전에 기여했습니다. 그는 칸티가 드 아미구(cantigas de amigo: 여성 애인에 관한 노래)와 풍자를 발전시켰습니다. 디니스 1세는 포르투갈 최초로 글을 읽을 줄 아는 군주로 여겨지며, 항상 자신의 이름으로 문서에 서명했습니다.

디니스 1세는 재위 기간 동안 중요한 사법 개혁을 시행하고 포르투갈어를 법원의 공식 언어로 확립했습니다. 1290년에는 포르투갈 최초의 대학을 설립하고 군대를 외국의 영향으로부터 해방시켰습니다. 또한 수많은 지방 자치 단체와 박람회를 창설하여 경제 발전을 촉진했습니다.

디니스 1세는 농업을 장려하여 "농부"라는 별명을 얻었습니다. 그는 구리, 은, 주석, 철 광산을 탐사하고 잉여 생산물을 다른 유럽 국가로 수출하는 일을 조직했습니다. 1308년에는 영국과 포르투갈 최초의 상업 협정을 체결했습니다. 또한 1312년에는 포르투갈 해군을 창설하여 마누엘 페사냐(Manuel Pessanha)를 초대 제독으로 임명하고 여러 부두의 건설을 명령했습니다.

디니스 1세는 재위 기간 동안 1320년에서 1324년 사이의 내전을 포함하여 중대한 도전에 직면했습니다. 이 전쟁에서 그는 미래의 후계자인 왕세자(Infante) 아폰수 4세와 대립했습니다. 이 갈등은 아버지 디니스 1세가 사생아인 아폰수 산체스(Afonso Sanches)에게 왕위를 물려주고 싶어 한다는 왕세자 아폰수의 의심에서 비롯되었습니다. 이 전쟁은 디니스 1세가 말년에 왕으로서 귀족들에게 광범위한 특권을 부여했기 때문에 귀족과 평민 사이의 분열을 보여주었습니다. 1325년 그가 사망한 후 사생아 아폰수 산체스의 반대에도 불구하고 합법적인 왕세자인 아폰수 4세(Afonso IV)가 왕위를 계승했습니다.

아폰수 4세(Afonso IV)

"용감한 왕(o Bravo)"으로도 알려진 아폰수 4세(Afonso IV)는 1291년 2월 8일 포르투갈 리스본에서 태어났습니다. 그는 포르투갈의 디니스 1세(Dinis I) 왕과 미래의 성녀가 될 아라곤 출신 이자벨(Isabel de Aragão) 왕비 사이에서 태어난 두 번째 자식이자 첫 번째 아들이었습니다. 아폰수보다 1년 먼저 태어난 누이 콘스탄사(Constança)가 있었는데, 나중에 카스티야의 페르난도 4세(Fernando IV)와 결혼했습니다. 1309년 아폰수는 카스티야의 산초 4세의 딸인 카스티야의 베아트리즈(Beatriz)와 결혼했습니다. 이 결혼으로 포르투갈의 마리아(Maria de Portugal)와 페드로 1세(Pedro I)를 낳았습니다.

아폰수는 디니스 1세(Dinis I)의 합법적인 아들이었음에도 불구하고 왕의 총애를 받지 못했습니다. 일부 소식통에 따르면 왕은 사생아인 아폰수 산체스(Afonso Sanches)를 선호했습니다. 이러한 편애를 참지 못한 왕세자 아폰수가 1320년 아버지인 왕을 상대로 내전을 일으키면서 갈등이 절정에 달했습니다. 4년에 걸친 이 내전은 어머니인 이자벨 여왕의 중재로 끝이 났으며 그 결과 왕세자는 왕위 계승권을 확보하고, 사생아 아폰수 산체스는 궁에서 쫓겨나게 됩니다.

아폰수 4세는 1325년 1월 7일 아버지 디니스 1세가 사망한 후 왕이 되었습니다. 왕위에 오른 후 첫 번째 결정으로 그는 이복형제인 아폰수 산체스를 반역자로 선언하고 그의 모든 땅과 작위, 영지를 몰수했습니다. 당시 카스티야에 있었던 아폰수 산체스는 포르투갈의 왕위를 노리고 여러 차례 침공을 준비하기도 했으나 결국 무위로 돌아갔습니다.

아폰수 4세는 재위 기간 동안 카스티야와의 갈등, 행정 개혁, 흑사병, 이네스 데 카스트로(Inês de Castro)의 처형 등 여러 가지 도전에 직면했습니다.

아폰수 4세의 국내 정책은 다양한 개혁을 통해 왕권을 강화하는 것이 목표였습니다. 그는 소위 외부인 판사를 만들고 귀족의 사법 개입을 금지하고 사적인 복수를 금지했습니다. 포르투갈에 대한 아폰수 4세의 가장 중요한 공헌은 포르투갈 해군의 발전이었습니다. 그는 상선 해군 건설에 보조금을 지급하고 최초의 대서양 탐험 항해에 자금을 지원했습니다. 카나리아 제도는 그의 통치 기간에 발견되었습니다.

아폰수 4세는 살라도(Salado) 전투에서도 중요한 역할을 했습니다. 그는 포르투갈 군대를 지휘하여 메리니드 무어족(os mouros merínidas)을 상대로 대승을 거두었습니다.

이 전투에서 용감하게 싸워 '용감한 왕(o Bravo)'라는 별명을 얻었습니다.

아폰수 4세의 통치 기간에는 여러 위기가 닥쳤습니다. 1348년 포르투갈에 도착한 흑사병은 인구의 많은 부분을 희생시키고 왕국에 큰 혼란을 일으켰습니다.

그의 통치 마지막 시기는 정치적 음모와 내부 갈등으로 점철되었는데, 주로 카스티야의 페드로 1세(Pedro I)와 그의 이복형인 트라스타마라의 헨리(Henrique da Trastâmara) 사이의 내전으로 인한 난민들이 포르투갈에 있었기 때문이었어요. 특히 왕세자 페드루가 카스티야에서 온 이네스와 연인이 되면서 포르투갈 정부의 중요한 요직들을 카스티야에서 온 인물들이 차지하기 시작했습니다.

결국 1355년 아폰수 4세는 아들 페드루의 연인이었던 이네스 데 카스트로(Inês de Castro)의 암살을 명령했습니다. 이로 인해 아버지와 아들 사이에 내전이 벌어졌습니다. 화해는 1357년 아폰수 4세가 자신의 권력 대부분을 왕세자 페드루에게 미리 넘겨주는 조건으로 이루어 졌으며 화해가 성립된 직후인 1357년 5월 28일 아폰수 4세는 사망했습니다. 아폰수 4세는 아내 베아트리즈 왕비와 함께 리스본 대성당에 묻혀 있습니다.

페드루 1세(Pedro I)

정의로운 왕(The Just) 또는 잔인한 왕(The Cruel)으로도 알려진 페드루 1세(Pedro I)는 1357년 5월 28일부터 1367년 1월 18일에 사망할 때까지 포르투갈과 알가르브의 왕이었습니다. 1320년 4월 8일 포르투갈 코임브라에서 아폰수 4세 왕과 카스티야의 베아트리즈 여왕의 7남매 중 넷째로 태어났습니다. 그는 형과 누나들이 죽은 후 왕위 계승자가 되었습니다. 그의 어린 시절에 대해서는 알려진 바가 거의 없지만 언어 장애와 열정적인 기질이 있었다고 합니다. 그는 음악, 춤, 축제에 대한 사랑으로 명성을 얻었습니다.

1336년 페드루는 카스티야 출신의 귀족 여성 콘스탄사 마누엘(Constança Manuel)과 결혼했습니다. 콘스탄사의 사촌인 카스티야 왕 알폰소 11세가 콘스탄사의 결혼을 허락했지만 출국은 허락하지 않아 두 사람의 결혼은 어려움에 직면했습니다. 1336년 2월 6일 페드루는 신부가 오지 못한 상태로 에보라(Évora)의 상 프란시스쿠(São

Francisco) 수도원에서 대리 결혼을 할 수 밖에 없었습니다. 이로 인해 왕세자 페드루와 아버지 아폰수 4세는 카스티야 왕과 갈등을 빚게 됩니다. 하지만 두 나라의 갈등을 이용한 무어인들의 위협이 커지자 결국 평화가 회복되고 두 나라의 왕은 힘을 합쳐 무어의 침략에 맞서 싸웠어요. 페드루 역시 리스본에서 콘스탄사와 제대로 된 결혼식을 할 수 있게 되었습니다.

문제는 페드루가 그의 아내 콘스탄사 마누엘를 시중들기 위해 따라온 이네스 데 카스트로(Inês de Castro)에게 홀딱 빠졌다는 것입니다. 이네스의 가족들이 포르투갈 궁정에 미치는 영향력을 두려워한 페드루의 아버지 아폰수 4세의 명령에 따라 이네스가 살해당했습니다. 이 사건은 왕세자 페드루와 그의 아버지 아폰수 4세 사이에 긴장을 불러 일으켰고, 결국 짧은 반란으로 이어졌지만 용서와 화해를 통해 해결되었습니다.

1357년 왕이 된 페드루 1세는 정의를 중시하고 그 정의를 집행하는 데 있어 잔인한 방식으로 유명했습니다. 그는 강력한 행정가였으며 교황의 영향력으로부터 나라를 지켜냈습니다. 그는 포르투갈에서 교회 문서를 배포할 때 자신의 승인을 받아야 하는 베네플라시토 레지오(Beneplácito Régio) 제도를 시행했습니다. 그의 통치 10년은 평화와 경제적 번영으로 요약할 수 있습니다. 그래서 그의 통치는 포르투갈 역사에서 좋은 통치로 기억되는 경우가 많습니다.

페드루 1세는 1367년 1월 18일 포르투갈 에스트레모즈(Estremoz)에서 46세의 나이로 사망했습니다. 그는 이네스 데 카스트로와 함께 알코바사 수도원(the Monastery of Alcobaça)에 묻혔습니다. 그의 유산은 잔인한 정의에 대한 명성과 열정적인 사생활로 인해 복잡하게 얽혀 있습니다. 어떤 사람들은 그를 불우한 사람들의 권리를 옹호한 정의로운 통치자로 보는 반면, 다른 사람들은 그의 폭력적인 방법과 개인적인 복수를 비판합니다.

페르난두 1세(Fernando I)

잘생기고 변덕스러운 페르난두 1세(Fernando I)는 1345년 10월 31일 포르투갈 코임브라에서 태어났으며, '잘생기고 변덕스러운 페르난두'라고도 불립니다. 행동, 동맹, 정책에서 일관성이 없고 예측할 수 없다는 평판 때문이었습니다. 그의 충성심과 통치 방식에 대한 끊임없는 변화는 그의 통치 기간 동안 국내외적으로 불안정한 분위기를 조성했습니다.

그는 페드루 1세(Pedro I)와 그의 아내 콘스탄사 마누엘(Constança Manuel)의 아들이었습니다. 어린 나이에 어머니를 잃은 페르난도는 아버지의 손에 자랐습니다. 페르난도는 1367년 1월 18일 아버지 페드루 1세가 사망한 후 왕위에 올랐습니다.

그가 왕위에 오르고 2년 뒤인 1369년 카스티야의 페드로 왕이 왕위계승자 없이 사망하는 일이 발생합니다. 그러자 다들 희미한 혈통 하나씩 주장하면서 카스티야의 왕위계승권을 노리고 있었는

데 그중 하나가 포르투갈의 페르난두 1세였습니다. 하지만 카스티야의 왕위는 결국 엔리케 2세(Henrique de Trastâmara)가 차지하게 되었고, 그는 트라스타마라가(Trastâmara) 왕조의 시조가 되었습니다. 대인배 엔리케 2세는 자신에게 칼을 들이댄 포르투갈의 페르난두 1세에 복수를 하는 대신 평화 중재안을 들고 나왔습니다. 그리고 평화 조약의 조건으로 포르투갈의 영토를 북쪽와 동쪽으로 더 넓혀주고, 자신의 딸과의 혼인까지도 내걸었습니다.

이처럼 복수를 당하는 대신 영토로 넓히고, 카스티야와의 전쟁도 피하고 오히려 동맹도 강화할 수 있는 좋은 기회를 페르난두 1세는 보기 좋게 걷어찼습니다. 자신의 신하와 이미 혼인한 상태였던 유부녀 레오노르 텔레스(Leonor Teles)에 빠져서 카스티야와의 약혼을 파기해 버렸습니다. 약혼 파기를 빌미로 카스티야가 바로 포르투갈을 침공하지는 않았지만 페르난두 1세는 국내외적으로 큰 비난을 받아야만 했습니다.

약혼파기로 공짜로 받은 영토를 다시 카스티야에 반환하여 국경선을 예전으로 되돌리는 협정을 맺은지 얼마되지도 않은 상황에서 페르난두 1세는 영국의 꾐에 빠져 엔리케 2세를 몰아내려는 비밀협정에 참여하게 됩니다. 대인배 엔리케 2세는 여전히 포르투갈과 평화적으로 해결하려고 노력하였으나 페르난두 1세는 단칼에 거절해 버립니다. 이에 카스티야 군대가 국경을 넘어 리스본까지 들이닥쳐서는 닥치는 대로 불을 지르고 약탈하기 시작했습니다. 그때 페르난두 1세는 산타렝으로 피신한 상태였습니다. 결국 페르난두 1세의 간청으로 카스티야와의 평화조약이 체결되었습니다.

그즈음 서방교회 대분열(라틴어: Magnum schisma occidentale)이 발

생하게 됩니다. 이탈리아의 로마와 프랑스의 아비뇽에 두 개의 교황청이 생기고, 그곳에 각각 교황이 존재하면서 서방교회가 둘로 갈라져 큰 혼란이 생긴 사건을 말합니다. 영국측의 지지를 받는 로마 교황은 우르바노 6세(Urban VI)였고, 프랑스측의 지지를 받는 아비뇽 교황은 클레멘트 7세(Clemente VII)였습니다.

페르난두 1세는 처음에 카스티야를 따라 클레멘트 7세(Clemente VII)를 지지했다가, 영국과 손을 잡고 함께 카스티야를 치겠다는 계획을 세우면서 우르바노 6세(Urban VI)로 갈아타게 됩니다. 영국과의 비밀임무를 맡은 사람이 바로 나중에 레오노르 텔레스 왕비의 정부가 되는 안데이루 백작(João Fernandes Andeiro)입니다. 하지만 포르투갈의 침공계획을 눈치챈 카스티야는 먼저 선공을 해왔고, 살트스 섬 전투(Battle of Saltes)에서 포르투갈 해군이 괴멸되는 참패를 겪게 됩니다. 그 결과 교황 클레멘트 7세(Clemente VII)의 중재로 1382년 엘바스 조약(Treaty of Elvas)이 맺어지면서 3차 전쟁도 포르투갈의 패배로 끝이 나게 됩니다..

3차 전쟁의 후속 조치를 위해 1383년 맺게 된 조약(Tratado de Salvaterra de Magos)이 정말 중요한데, 포르투갈 페르난두 1세의 외동딸인 베아트리스(Beatriz de Portugal) 공주가 카스티야 후안 1세(Juan I)의 막내아들 페르난도와 혼인을 한다는 것이 주된 내용이었습니다. 하지만 후안 1세가 홀아비가 되자 막내아들의 약혼자를 자기가 차지해버렸습니다. 베아트리스와 후안 1세의 자식이 포르투갈의 왕위를 계승할 것이며 그가 14살이 되기 전까지는 포르투갈 왕비 레오노르 텔레스가 섭정을 맡게 된다는 세부 조건이 있었는데 사실상 시간의 문제이지 포르투갈이 카스티야에 합병되는 결과를 가져오게 되어 포르투갈인들의 불만이 높았습니다.

페르난두의 통치는 1383년 10월 22일 리스본에서 37세의 나이로 사망하면서 끝이 났습니다. 남성 후계자 없이 페르난두가 사망하자 1383~1385년의 위기로 알려진 후계자 승계 위기가 발생했습니다. 이로 인해 포르투갈은 사생아 이복형제인 주앙 1세(João I)가 섭정 겸 왕국 수호자로 선포될 때까지 정치적, 사회적 혼란을 겪게 됩니다.

페르난두 1세는 처음에 산타렘(Santarém)의 상 프란시스코 수녀원(the Convent of São Francisco)에 묻혔습니다. 하지만 19세기 프랑스 침략 당시의 기물 파손과 1834년 종교 탄압으로 인해 그의 유해는 사라졌습니다. 그의 무덤은 보존을 위해 1875년 리스본의 카르무 고고학 박물관(the Archaeological Museum of Carmo)으로 옮겨졌습니다.

1383~1385년의 왕조 위기

1383~1385년의 왕조 위기는 포르투갈 역사상 내전 기간으로, 집권한 왕이 없었기 때문에 인터레그넘(Interregnum, 왕위 공백)이라고도 불렀습니다. 위기는 남성 후계자가 없던 포르투갈의 페르난두 국왕이 사망하면서 시작되었습니다. 코임브라 코르테스(의회)가 1385년 포르투갈의 주앙 1세(João I)를 새 왕으로 선출했지만 카스티야의 후안 1세(Juan I)는 왕좌에 대한 주장을 포기하지 않고 포르투갈을 침공했습니다. 카스티야 군대의 규모는 훨씬 더 컸지만 포르투갈의 전술적 우위 덕분에 알주바호타(Aljubarrota) 전투에서 결국 패배했

습니다. 이 승리로 포르투갈의 주앙 1세는 새로운 주권자로 자리매김했습니다.

알주바호타 전투의 승리로 왕조의 위기는 끝났고 포르투갈의 주앙 1세는 새로운 아비스(Avis) 왕조를 세웠습니다. 카스티야의 인정은 1411년 아욜론-세고비아 조약(Ayllón-Segovia Treaty)의 체결과 함께 이루어졌습니다. 루소-영국(Luso-English) 동맹은 1386년 윈저 조약(the Treaty of Windsor)으로 갱신되었고, 주앙 1세가 랭커스터의 필립파(Philippa of Lancaster)와 결혼하면서 더욱 강화되었습니다. 이 동맹은 세계에서 가장 오래된 현역 군사 동맹으로 남아 있습니다. 이 시기에 등장한 새로운 귀족들은 포르투갈의 해양 확장에 중요한 역할을 했습니다.

2. 아비스 왕가

주앙 1세(João I)

"좋은 기억(O de Boa Memória)"라고도 알려진 주앙 1세(João I)는 1357년 4월 11일 포르투갈 리스본에서 태어났습니다. 그는 포르투갈의 국왕 페드루 1세(Pedro I)와 테레사 루렌수(Teresa Lourenço) 사이에서 태어난 사생아였습니다. 주앙 1세는 1385년 4월 6일 코임브라 궁정에서 포르투갈의 왕으로 선출되어 찬사를 받았으며, 이는 1383~1385년의 위기가 끝났음을 알리는 신호탄이 되었습니다.

주앙 1세는 재위 기간 동안 수많은 도전에 직면했고 중요한 업적을 남겼습니다. 그는 미망인 여왕이었던 섭정 레오노르 텔레스(Leonor Teles)에 대한 반란을 성공적으로 이끌었고 카스티야의 침략에 맞서 포르투갈을 방어했습니다. 1385년 알주바호타(Aljubarrota) 전투에서 승리한 주앙 1세는 통치의 안정성을 보장하고 포르투갈의 독립을 확보했습니다.

주앙 1세는 1387년 2월 2일 랭커스터의 필립파(Philippa of

Lancaster)와 결혼하여 포르투갈과 영국 간의 동맹을 강화했습니다. 두아르트 1세(Duarte I), 페드로(코임브라 공작), 엔히크(비제우 공작, 훗날 항해왕이란 별명으로 유명) 등 8명의 자녀를 두었는데, 이들은 포르투갈 역사와 탐험에서 중요한 역할을 담당했습니다.

주앙 1세는 통치자로서 포르투갈의 영토를 확장하는 데 주력했습니다. 1415년 그의 아들들은 북아프리카의 세우타(Ceuta) 정복을 주도하여 포르투갈의 아프리카와 대서양 탐험과 확장의 시작을 알렸습니다. 주앙 1세는 또한 영국, 부르고뉴 등 다른 유럽 강대국들과 동맹을 맺어 포르투갈의 국제적 위상을 더욱 강화했습니다.

주앙 1세의 통치 기간 동안 코르테스(의회)가 자주 열렸으며, 이 회의에서 고충을 해결하고 정책을 논의했습니다. 그는 왕권을 중앙 집중화하는 조치를 시행하고 지방 자치 단체에 대한 통제권을 유지했습니다. 주앙 1세는 또한 문화 발전을 장려했으며 사냥에 대한 지식과 관심으로 유명했습니다.

주앙 1세는 1433년 8월 13일 리스본에서 세상을 떠났습니다. 그는 아내 필리파 및 직계 후손들과 함께 바탈랴 수도원(the Monastery of Batalha)에 묻혔습니다. 주앙 1세는 사후 포르투갈의 독립을 지키고 대항해 시대를 연 공로를 인정받아 포르투갈 역사에서 중요한 인물로 기억되고 있습니다. 그의 통치는 안정과 확장, 문화 발전의 시기로 평가됩니다.

두아르트 1세(Duarte I)

두아르트 1세(Duarte I)는 1391년 10월 31일 포르투갈 비제우(Viseu)에서 태어났으며, 달변가(the Eloquent) 두아르트로도 알려져 있습니다. 그는 주앙 1세 왕과 랭카스터의 필리파 여왕 사이에서 태어난 셋째 아들이었습니다. 형이 사망한 후 두아르트는 포르투갈 왕실의 후계자가 되었습니다.

두아르트는 어릴 때부터 종합적인 교육을 받았으며 아버지와 함께 왕국을 통치했습니다. 1412년에는 공식적으로 통치에 참여하여 사법 및 재정 문제를 감독했습니다. 두아르트는 형제들과 함께 아버지를 설득하여 북아프리카 세우타(Ceuta) 정복에 나섰고, 그 성공으로 형제 페드루와 엔히크와 함께 기사 작위를 받았습니다.

두아르트는 카스티야 후안 1세(Juan)의 손녀인 아라곤의 레오노르(Leonor of Aragon)와 결혼했습니다. 그는 아내에게 문학 작품을 헌정하며 문화와 문학에 대한 관심을 보여주었습니다. 두아르트가 사망한 후 왕비 레오노르는 어린 아들 아폰수 5세(Afonso V)를 위해 섭정을 맡았습니다.

1433년 8월 14일부터 1438년 9월 9일 사망할 때까지 재위 기간 동안 두아르트는 아프리카에서 포르투갈의 탐험과 정복을 계속했습니다. 그의 동생 엔히크(Henrique)는 라고스(Lagos)에 자리를 잡고 초기 해군 탐험을 이끌었습니다. 1434년 질 이아네스(Gil Eanes)는 부자도르(Bojador) 곶(강한 해류와 위험한 암초로 인해 역사적으로 선원들이 항해하기 어려운 곳으로 유명)을 성공적으로 항해하여 해양 탐험에서 중요한 업적을 남겼습니다.

하지만 두아르트의 통치에도 어려움이 없지는 않았습니다. 탕헤르(Tanger) 점령 작전이 실패로 돌아가자 그의 막내동생 페르난두(Fernando)가 포로로 잡혀 죽었습니다. 이러한 좌절이 유능한 통치자로서의 두아르트의 전반적인 명성을 훼손하지는 못했습니다.

두아르트는 국왕으로서 합의를 추구하고 정기적으로 코르테스(포르투갈 의회)를 소집하여 국정을 논의하는 것으로 유명했습니다. 그는 왕실의 자산을 보호하기 위한 법률인 레이 멘탈(Lei Mental)을 발표했습니다.

두아르트는 문화와 문학에 깊은 관심을 갖고 여러 작품을 저술했습니다. 그의 가장 주목할 만한 문학 작품으로는 아내 레오노르에게 바친 도덕과 종교에 초점을 맞춘 다양한 주제를 다룬 에세이 '충성스러운 상담자'(Leal Conselheiro)가 있습니다. 그는 또한 승마 지침서(Livro da Ensinança de Bem Cavalgar Toda Sela)를 저술했습니다.

비극적으로도 두아르트의 통치는 1438년 페스트로 인한 갑작스러운 죽음으로 단절되었습니다. 그는 임신한 아내 레오노르에게 섭정을 맡겼고, 이는 귀족들 사이에서 논란을 일으켰습니다. 그의 아들 아폰수 5세가 왕위를 계승했습니다.

두아르트 1세는 아내 레오노르와 함께 바탈랴(Batalha)에 있는 산타 마리아 다 비토리아 수도원(the Monastery of Santa Maria da Vitória)의 미완성 예배당에 묻혔습니다. 그의 후손으로는 아들 아폰수 5세(Afonso V), 손자 마누엘 1세(Manuel I), 스페인과 신성로마제국의 증손자 카를로스 5세(Carlos V) 등 저명한 인물이 있습니다.

아폰수 5세(Afonso V)

아프리카인(the African) 아폰수라고도 알려진 포르투갈의 아폰수 5세(Afonso V)는 1432년 1월 15일 포르투갈 신트라에서 태어났습니다. 그는 두아르트 1세(Duarte I) 왕과 아라곤 출신의 레오노르(Leonor of Aragon) 여왕 사이에서 태어난 장남이었습니다. 아폰수는 6세 때 1438년 아버지 두아르트 1세가 사망한 후 포르투갈 왕위에 올랐습니다. 처음에는 그의 어머니 레오노르 선대왕비가 섭정을 맡았지만 나중에 삼촌인 코임브라 공작 페드루에게 섭정이 넘겨졌습니다.

아폰수 5세는 통치 기간 동안 아프리카에서 포르투갈 영토를 확장하는 데 주력했습니다. 그는 알카세르 세게르(Alcácer Ceguer), 아나페(Anafé), 아르질라(Arzila), 탕헤르(Tânger) 등을 성공적으로 정복하여 "아프리카인(the African)"이라는 별명을 얻게 되었습니다. 또한 페르낭 고메스 다 미나(Fernão Gomes da Mina)에게 기니(Guinea) 무역

독점권을 부여하여 금 무역이 번창하는 계기를 마련했습니다.

1475년 아폰수 5세는 조카딸인 카스티야의 주아나(Joana of Castile)와 결혼한 후 카스티야 왕위 계승권을 주장했습니다. 그러나 카스티야에서의 그의 군사작전은 실패로 끝났고 1477년 아들인 포르투갈의 주앙 2세(João II)를 위해 퇴위했습니다. 하지만 아들이 통치할 준비가 되지 않았다는 것을 깨달은 그는 4일 만에 왕좌에 복귀했습니다.

아폰수 5세는 점성술, 수학, 연금술, 음악 등 다양한 분야에 관심이 많았던 것으로 알려져 있습니다. 그는 학식이 풍부한 왕으로 여겨졌으며 당시로서는 중요한 업적을 남겼습니다.

아폰수 5세는 왕위에서 물러난 후 토레스 베드라스(Torres Vedras)의 바라토주(Varatojo)에 있는 수도원으로 은퇴했습니다. 그는 1481년 8월 28일 리스본에서 페스트가 창궐하던 중 신트라 궁전으로 피해있다가 자신이 태어났던 방에서 사망했습니다. 그는 바탈랴(Batalha) 수도원에 묻혔습니다.

주앙 2세(João II)

"완벽한 왕자(the Perfect Prince)"로도 알려진 주앙 2세(João II)는 1455년 5월 3일 포르투갈 리스본에서 태어났습니다. 그는 아폰수 5세 국왕과 그의 첫 번째 부인인 코임브라의 이자벨 여왕 사이에서 태어난 막내 아들이었습니다. 주앙은 1477년 11월 4일간, 그리고 1481년부터 1495년 사망할 때까지 두 차례에 걸쳐 아버지의 뒤를 이어 왕위를 계승했습니다.

왕자였던 주앙은 아버지와 함께 아프리카 원정을 떠났고 1471년 8월 아르질라(Arzila)를 점령한 후 기사 작위를 받았습니다. 이듬해 1월에는 사촌인 비제우의 레오노르(Leonor of Viseu)와 결혼하여 포르투갈의 왕자 아폰수라는 아들을 낳았습니다.

주앙 2세는 1477년 아버지가 퇴위한 후 왕이 되었지만 1481년 아버지가 사망한 후에야 왕위에 올랐습니다. 주앙은 통치 기간 동안 권력을 자신에게 집중시켜 귀족의 영향력을 줄였습니다. 브라간사 가문의 세력을 억압하고 사촌인 비제우 공작 디오구를 직접 칼로 찔러 죽였습니다. 반대 세력이 사라진 주앙 2세는 아무런 방해 없이 통치했습니다.

주앙 2세의 최우선 과제 중 하나는 대서양 탐험이었습니다. 그는 인도로 가는 해상 항로를 찾는 데 중점을 두었고, 그의 통치 아래 바르톨로메우 디아스(Bartolomeu Dias)와 페로 다 코빌냐(Pêro da Covilhã)가 이끄는 탐험대가 파견되었습니다. 주앙 2세는 최초의 인도 항해를 계획하는 데 중요한 역할을 했습니다. 그는 애초에 자신이 지원을 거절했던 크리스토퍼 콜럼버스의 항해 이후 1494년 스페인의 가톨릭 군주들(아라곤의 페르디난드 2세 왕과 카스티야의 이사벨 여왕)과 토르데시야스 조약(the Treaty of Tordesillas)을 체결했습니다. 이 조약에 따라 새로 발견된 땅은 포르투갈과 스페인으로 분할되었습니다.

주앙 2세는 가족 내에서도 어려움에 직면했습니다. 그의 합법적 후계자인 아폰수 왕세자는 아라곤과 카스티야 연합왕국의 공주 이사벨과 결혼했고, 그들의 후손이 카스티야와 아라곤의 왕좌를 모두 물려받게 될 예정이었습니다. 그러나 아폰수 왕세자는 1491년 불의의 낙마 사고로 사망했습니다, 주앙 2세는 사생아 조르즈(Jorge de Lancastre)에게 왕위를 물려주려고 시도했지만 왕비 레오노르의 방해로 실패했습니다. 어쩔 수 없이 그는 사촌이자 처남인 베자 공작 마누엘을 후계자로 선택했고, 그는 훗날 포르투갈의 마누엘 1세(Manuel I)가 됩니다.

주앙 2세는 1495년 10월 25일 40세의 나이로 사망했습니다. 알가르브 지역에 있는 몬시크(Monchique)에서 오한을 느끼고 알보르

(Alvor)로 이동했지만 그곳에서 사망했습니다. 사망할 당시 그는 실브스(Silves) 대성당에 묻혔으나 1499년에 그의 유해가 발굴되어 현재의 바탈랴(Batalha) 수도원 묘지로 옮겨졌습니다. 군주의 유해를 보호해 준 실브스 시에 대한 감사의 표시로 마누엘 1세가 알보르를 빌라(Vila)로 승격시키고 포르투갈의 십자가(Cross of Portugal)를 선물하였습니다.

마누엘 1세(Manuel I)

행운의 왕(the Fortunate)이라고도 알려진 마누엘 1세(Manuel I)는 1469년 5월 31일 포르투갈 알코셰트(Alcochete)에서 태어났습니다. 그는 비제우 공작 인판테 페르난두와 포르투갈의 베아트리즈의 막내 아들이었습니다. 마누엘은 사촌 주앙 2세가 사망한 후 1495년 10월 25일 포르투갈의 왕위에 올랐습니다.

마누엘 1세는 재위 기간 동안 포르투갈의 탐험과 영토 확장에 큰 공헌을 했습니다. 그는 전임자들이 시작한 포르투갈 탐험을 계속하여 1498년 바스코 다 가마(Vasco da Gama)가 인도 항로를 발견하고 1500년 페드로 알바레스 카브랄(Pedro Álvares Cabral)이 브라질을 발견하는 데 기여했습니다. 이러한 발견으로 포르투갈 제국은 크게 확장되었고 포르투갈은 세계 주요 강국으로 자리매김했습니다.

마누엘 1세는 아라비아, 페르시아, 인도의 상업, 정복, 항해의 군주라는 칭호를 얻은 최초의 왕이었습니다. 그는 1521년 마누엘 안 수령으로 알려진 법률 개정안을 공포했습니다. 이 법령은 새로 발명된 인쇄기의 도움으로 널리 보급되었습니다.

초기 저항에도 불구하고 마누엘 1세는 결국 포르투갈에 종교 재판소 설립을 요청했습니다. 비록 이 요청은 그의 후계자 주앙 3세의 통치 기간에야 받아들여졌지만요. 마누엘 1세의 통치 기간은 무역, 특히 향신료 무역으로 인한 번영으로 특징지어집니다. 이러한 부를 바탕으로 마누엘린 양식으로 알려진 독특한 건축 양식으로 수많은 건축 프로젝트를 수행할 수 있었습니다.

독실한 가톨릭 신자였던 마누엘 1세는 국가 재산의 상당 부분을 교회와 수도원 건설에 투자했습니다. 또한 새로 식민지가 된 영토를 복음화하기 위해 가톨릭 선교사들을 후원했습니다. 그의 통치는 르네상스 시대와 맞물려 문화 발전과 교육을 적극적으로 장려했으며, 일반 학문을 개혁하고 새로운 교육 계획과 장학금을 만들었습니다.

마누엘 1세는 1521년 12월 13일 리스본에서 52세의 나이로 세상을 떠났습니다. 그의 시신은 처음에는 레스텔로(Restelo) 교회에 묻혔다가 1551년 제로니무스 수도원(the Monastery of Jerónimos)으로 이장되었습니다. 그의 통치는 포르투갈의 역사에 지속적인 영향을 미쳤으며, 포르투갈을 유럽의 주요 강국으로 자리매김하고 르네상스 시대의 문화와 과학 발전에 크게 기여했습니다. 전반적으로 마누엘 1세의 통치는 탐험과 문화 진흥에 대한 성공과 종교적 관용과 소수 민족에 대한 처우에 대한 실패를 모두 인정하면서 균형 잡힌 평가를 받고 있습니다.

주앙 3세(João III)

주앙 3세(João III)는 1502년 6월 6일 포르투갈 리스본에서 태어났습니다. 그는 마누엘 1세 국왕과 그의 두 번째 왕비인 아라곤과 카스티야의 마리아(Maria of Aragon and Castile) 사이에서 태어난 장남이었습니다. 19세의 나이에 주앙 3세는 1521년 12월 13일 아버지 마누엘 1세가 사망한 후 왕위에 올랐습니다.

주앙 3세는 아프리카, 아시아(인도, 말라카 등), 태평양 제도, 중국, 브라질의 영토를 포함하여 광대하고 흩어져 있던 제국을 물려받았습니다. 그는 아버지의 중앙집권 정책을 이어받아 식민지에 대한 포르투갈의 지배력을 강화하는 것을 목표로 삼았습니다. 주앙 3세는 1529년 사라고사 조약(the Treaty of Saragossa)에서 스페인과 몰루카스 제도(Moluccas Islands)를 협상하고 차울(Chaul), 디우(Diu), 봄베이(Bombay), 바세인(Bassein), 마카오(Macau) 등 아시아에서 새로운 식민지를 획득했습니다. 그의 통치 기간 동안 포르투갈 탐험가들은

1543년 처음으로 일본에 도착하여 리스본에서 나가사키까지 포르투갈의 입지를 넓혔습니다.

그는 1536년 포르투갈에 종교재판소를 도입하여 많은 신기독교인(유대인이 기독교로 개종한 사람)를 박해했으며, 강제 이주와 외국 차관에 대한 의존으로 인해 경제적 불안정을 초래했습니다.

주앙 3세는 스페인, 프랑스, 영국 등 다른 유럽 열강과의 경쟁, 경제 위기, 정치적 불안정, 오스만 제국의 위협, 케이프 루트(아프리카 대륙의 남단인 케이프타운을 지나서 유럽과 아시아를 연결하는 핵심 해상 무역 경로) 쇠퇴 등의 도전에 직면했습니다.

이러한 어려움에도 불구하고 주앙 3세는 재위 기간 동안 문화 및 지적 발전을 지원했습니다. 그는 예술과 과학의 후원자가 되어 루이스 드 카몽이스(Luís de Camões)와 같은 인물들과 함께 번성하는 문학계를 육성했습니다. 또한 포르투갈 학생들이 해외에서 공부할 수 있도록 장학금을 마련하고 예수회 선교사들을 포르투갈로 데려오기도 했습니다.

주앙 3세는 1550년 이후 건강이 악화되어 1555년 뇌졸중으로 쓰러졌습니다. 그는 1557년 6월 11일 리스본에서 사망하여 벨렘의 제로니무스 수도원(Jerónimos Monastery)에 묻혔습니다. 그의 유일한 왕위계승자가 3살 된 손자 세바스티앙이라는 점이 포르투갈에 큰 걱정을 안겨주었습니다.

세바스티앙 1세(Sebastião I)

"간절히 기다린 왕(the Desired)", "잠자는 왕(the Sleeper)"으로도 알려진 세바스티앙 1세(Sebastião I)는 1554년 1월 20일 포르투갈 리스본의 히베이라 왕궁(Paço da Ribeira)에서 태어났습니다. 그는 주앙 마누엘 왕자와 오스트리아의 조아나 공주 사이에서 태어난 아들이었습니다. 그의 조부모는 주앙 3세 국왕과 카타리나 여왕이었고, 외조부모는 카를 5세 황제(Charles V)와 그의 아내 포르투갈 이사벨 여왕이었습니다. 세바스티앙은 주앙 마누엘 왕자의 유일한 생존 아들이자 포르투갈 왕좌의 잠재적 후계자였기 때문에 많은 사람들이 그의 탄생을 간절히 기다렸습니다.

세바스티앙이 태어나기 직전인 1554년 1월 2일, 세바스티앙의 아버지가 세상을 떠나면서 비극이 닥쳤습니다. 아버지의 죽음과 직접적인 남성 후계자의 부재로 포르투갈 왕국의 계승은 불확실해졌습니다. 주앙 마누엘 왕자의 누이 마리아 마누엘라 공주와 스페인의 펠리페 2세(Philip II of Spain) 사이의 결혼 계약은 상황을 더욱 복잡하게 만들었습니다. 계약에 따르면 왕위계승자가 없으면 포르투갈 왕국은 이 커플의 자손에게 넘어갈 것이며 잠재적으로 포르투갈과 카스티야의 연합으로 이어질 수 있기에 포르투갈은 강력하게 반대했습니다.

1557년 6월 11일, 세바스티앙은 세 살의 나이에 할아버지 주앙 3세의 사망으로 왕위에 올랐습니다. 그러나 세바스티앙은 어린 나이로 인해 성년이 될 때까지 섭정이 성립되었습니다. 처음에는 그의 할머니인 오스트리아의 카타리나 여왕이 1562년 사망할 때까지 섭정을 맡았습니다. 그 후에는 세바스티앙이 성인이 될 때까지 엔히크 추기경(Henrique I)(마누엘 1세의 다섯 번째 아들)이 섭정을 이어받았습니다.

카타리나 여왕의 지도 아래 세바스찬은 예수회 교육을 받았고, 이는 그의 종교적 신념에 깊은 영향을 미쳤습니다. 그는 가톨릭 신앙에 대한 강한 애착을 보였으며 토마스 아퀴나스의 책을 항상 가지고 다녔습니다. 젊은 왕은 경건하기로 유명했고, 그의 순결함을 지켜주려는 테아티누스 수도회(Theatine Order) 성직자들과 자주 동행했습니다. 그러나 세바스찬의 이러한 양육 환경은 훗날 그가 고집스럽고 충동적인 성격을 갖게 되는 데 기여하기도 했습니다.

세바스티앙은 1568년 열네 살의 나이에 국정을 완전히 장악했습니다. 세바스티앙은 열정적이고 충동적인 성격으로 유명했습니다. 그는 인도로 향하는 길목에 있는 포르투갈의 잃어버린 영토를 되찾기 위해 모로코를 상대로 대원정군을 일으킬 꿈을 꾸었습니다. 이 기회는 아부 압달라 모하메드 2세 사디(Abu Abdallah Mohammed

II Saadi)가 그의 라이벌인 아부 마르완 압드 알-말릭 1세 사디(Abu Marwan Abd al-Malik I Saadi)에 맞서 싸우는데 세바스티앙에게 도움을 요청하면서 찾아왔습니다. 지휘관의 경고에도 불구하고 세바스찬은 아부 압달라 모하메드 2세와 힘을 합쳐 불운한 모로코 원정을 이끌었습니다.

1578년 알카세르 퀴비르(Alcácer Quibir) 전투(세 왕의 전투)에서 세바스티안의 포르투갈 군대는 대패했습니다. 세바스찬의 시신은 확실히 확인되지 않았지만, 전투에서 전사한 것으로 널리 알려져 있습니다. 많은 포르투갈 사람들은 이후 포르투갈의 몰락이 그의 부재 때문이라고 생각하며 그가 돌아오기를 바랐습니다.

전투 이후 세바스티앙의 운명은 베일에 싸여 있으며 수많은 이론과 추측을 불러 일으켰습니다. 어떤 사람들은 그가 전투 자체에서 사망했다고 믿는 반면, 다른 사람들은 그가 체포되어 몇 년 후에 사망했다고 주장합니다. 한 설에 따르면 그는 이탈리아에서 포로로 잡혀 있다가 스페인 당국에 넘겨져 학대를 당했다고 합니다. 그의 죽음은 포르투갈 역사의 전환점이 되었으며, 1580년 이베리아 연합을 통해 포르투갈이 스페인에 독립을 빼앗기는 왕조 위기로 이어졌습니다.

세바스티앙의 유산은 복잡하며 그의 실종을 둘러싼 역사적 사건과 전설에 의해 형성되었습니다. 그의 귀환에 대한 믿음은 포르투갈 민속에 깊이 뿌리내려 "세바스티안주의" 운동을 일으켰습니다. 많은 사람들은 그가 언젠가 다시 돌아와 포르투갈을 가장 암울한 시기에서 구해줄 것이라고 믿었습니다. 그의 군사 작전은 재앙으로 끝났지만, 그의 유산은 포르투갈 사람들의 상상력을 사로잡는 전설과 민속을 통해 계속 이어지고 있습니다.

대중 문화에서 세바스찬의 삶은 다양한 형태로 극화되어 왔습니다. 가에타노 도니제티(Gaetano Donizetti)는 1843년 세바스티앙의 이야기를 그린 오페라 '동 세바스티앙(Dom Sébastien)'을 작곡했습니다. 벨기에의 극작가 폴 드레스(Paul Dresse)는 1975년 "포르투갈의 세바스티앙 또는 디우 대위(Sébastien de Portugal ou le Capitaine de Dieu)"라는 연극을 통해 그의 삶을 탐구하기도 했습니다. 또한 포르투갈 밴드 Quarteto 1111은 1968년 "A Lenda d' El Rei D. Sebastião"("세바스티안 왕의 전설")라는 곡을 발표했습니다.

엔히크 1세(Henrique I)

경건한 왕(the Pious)이자 추기경 왕(the Cardinal-King)으로 알려진 포르투갈의 엔히크 1세(Henrique I)는 1512년 1월 31일 포르투갈 리스본에서 태어났습니다. 그는 마누엘 1세 왕과 그의 두 번째 왕비인 아라곤과 카스티야의 마리아에게서 태어난 다섯째 아들이었습니다. 어린 시절 엔히크는 큰 가능성을 보였고 라틴어, 그리스어, 히브리어, 수학, 철학, 신학에 대한 종합적인 교육을 받았습니다. 또한 승마 실력도 뛰어났습니다.

엔히크의 어린 시절은 열네 살에 안수 성사를 받으면서 중요한 전환점을 맞이합니다. 이는 당시 스페인의 영향을 많이 받고 있던 가톨릭 교회 내에서 포르투갈의 이익을 증진하기 위한 왕실 가족의 전략적 움직임이었습니다. 엔히크는 코임브라의 산타 크루즈 수도원 원장으로서 성직자 생활을 시작했습니다. 그는 빠르게 승진하여 브라가 대주교, 에보라 대주교, 리스본 대주교가 되었습니다. 또한 1539년 27세의 나이에 조카 주앙 3세가 임명한 종교재판소장도 역임했습니다. 1545년 교황 바오로 3세에 의해 헨리크는 추기경으로 승격되어 4성좌 순교자라는 칭호와 함께 추기경-인판테(추기경-왕자)가 되었죠.

엔히크는 성직자 생활 내내 예수회를 포르투갈에 도입하는 데 중요한 역할을 했습니다. 그는 포르투갈 제국에서 예수회의 서비스를 광범위하게 활용했으며 예수회의 영향력을 확대하는 데 중요한 역할을 했습니다. 가톨릭 교회에 대한 엔히크의 헌신과 포르투갈에서 가톨릭 교회의 입지를 강화하기 위한 노력으로 그는 광범위한 존경과 찬사를 받았습니다.

1562년 주앙 3세가 사망한 후 엔히크는 주앙 3세의 손자인 세바스티앙 1세의 섭정을 맡았고, 세바스티앙이 성년이 되어 1568년 왕위에 오를 때까지 섭정을 역임했습니다. 그러나 세바스티앙이 1578년 알카세르 키비르 전투에서 비참하게 전사하면서 비극이 닥쳤습니다. 세바스티앙의 사망 소식을 접한 엔히크는 성직자 지위를 포기하고 즉시 아비스 가문을 이어갈 적합한 신부를 찾았습니다. 그러나 포르투갈 왕좌를 놓고 경쟁하던 합스부르크 가문과 친척 관계에 있던 교황 그레고리 13세(Gregory XIII)는 엔히크의 서약을 풀어주지 않았습니다.

1578년 7월, 엔히크는 리스본의 왕립 병원 교회에서 별다른 축하 행사 없이 국왕으로 즉위했습니다. 그의 통치는 모로코에 억류된 많은 포로들의 몸값을 지불해야 하는 등 포르투갈이 중대한 도전에 직면한 위기의 시기에 시작되었습니다. 안타깝게도 워낙 고령인 탓에 엔히크의 통치는 단명했습니다. 그는 1580년 알메이림

(Almeirim)에서 열린 코르테스(의회) 중 사망했고, 5명으로 구성된 섭정 의회를 남겨두고 떠났습니다. 그해 11월, 스페인의 국왕 펠리페 2세(Felipe II)는 알바 공작을 보내 포르투갈 왕국에 대한 왕위계승권을 주장했습니다. 리스본은 곧 함락되었고 펠리페 2세는 포르투갈의 필리프 1세(Filipe I) 국왕으로 선포되었습니다.

엔히크의 시신은 처음에는 알메이림에 묻혔다가 1582년 스페인의 펠리페 2세(포르투갈의 필리프 1세)에 의해 리스본에 있는 제로니무스 수도원으로 옮겨졌습니다. 그곳에서 그는 펠리페 2세의 명령에 따라 세바스티앙 1세와 함께 안치되어 있습니다.

3. 합스부르크 왕가

필리프 1세(Filipe I)

스페인의 국왕 펠리페 2세((Felipe II))이자 포르투갈에서는 필리프 1세(Filipe II)는 1527년 5월 21일 스페인 바야돌리드(Valladolid)에서 태어났습니다. 그는 신성 로마 제국 황제이자 스페인 국왕이었던 카를 5세(Carlos V) 황제와 포르투갈 출신의 이사벨 왕비 사이에 태어난 아들이었습니다.

1543년, 열여섯 살의 나이에 펠리페는 경험 많은 조언자들의 지도 아래 스페인 왕국의 섭정을 맡았습니다. 그의 아버지는 정치가로서 아들의 조숙함을 알아보고 광대한 스페인 제국의 통치를 그에게 맡겼습니다. 펠리페의 통치는 1556년 아버지 카를 5세로부터 왕위를 물려받아 스페인의 국왕 펠리페 2세가 되면서 시작되었습니다.

그의 통치 기간 동안 펠리페의 광대한 제국은 그 영향력과 권력이 절정에 달했습니다. 흔히 "스페인 황금기"라고 불리는 시기였습니다. 그의 영토는 그의 이름을 딴 필리핀을 포함해 여러 대륙에 걸쳐 있었습니다. 하지만 펠리페의 통치에도 어려움이 없지는 않았습니다.

펠리페가 직면한 주요 문제 중 하나는 막대한 부채 문제였습니다. 펠리페는 통치 기간 내내 여러 차례 파산에 직면했는데, 이는 부분적으로는 야심찬 군사 작전과 제국 유지에 따른 높은 비용으로 인한 것이었습니다. 자금이 계속 필요했기 때문에 채권자들과의 관계가 긴장되었고 1581년 네덜란드 공화국이 독립을 선언하는 데 기여했습니다.

펠리페는 독실한 가톨릭 신자였으며 오스만 제국과 프로테스탄트 종교 개혁에 맞서 가톨릭 유럽의 수호자라고 생각했습니다. 그는 엘리자베스 1세 여왕을 전복하고 가톨릭을 회복하기 위해 1588년에 함대를 파견하여 신교도 국가인 영국을 침공했습니다. 그러나 스페인 함대는 프랑스 북부 그래브린즈(Gravelines)에서 벌어진 전투에서 패배하고 스페인으로 돌아오던 중 만난 폭풍우로 인해 더욱 큰 피해를 입었습니다. 이러한 좌절에도 불구하고 펠리페의 해군력은 실패한 영국 침공 이듬해에 회복되었습니다.

펠리페 통치의 또 다른 중요한 측면은 유럽 분쟁에 개입한 것입니다. 그는 프랑스 종교 전쟁에 개입하여 개신교 위그노에 대항하는 가톨릭 연맹을 지원하고 딸 이사벨 클라라 유지니아를 프랑스 왕위에 올리려고 시도했습니다. 그의 군사 개입은 가톨릭을 보존하고 스페인의 영향력을 확대하는 것을 목표로 했지만 결국 목표를 달성하지 못했습니다.

펠리페는 또한 자신의 영토 내에 많은 모리스코(Moriscos, 이슬람교에서 기독교로 개종한 사람들) 인구를 처리하는 등 내부적인 문제에도 직면했습니다. 강제 개종에 대한 모리스코들의 저항에 대응하여 펠리페는 이들을 그라나다에서 추방하고 다른 지방으로 흩어지도록 명령했습니다. 이러한 조치에도 불구하고 제한된 수입과 지방세에 대한 높은 의존도로 인해 경제적 어려움은 지속되었습니다.

펠리페 2세는 1598년 9월 13일 스페인의 엘 에스코리알(El Escorial)에서 71세의 나이로 세상을 떠났습니다. 그는 역대 스페인 군주들과 함께 엘 에스코리알에 묻혔습니다. 펠리페 2세의 죽음 이후 그의 유산에 대한 평가는 다양합니다. 어떤 이들은 그를 스페인의 영향력을 전 세계로 확장하고 적으로부터 가톨릭을 지켜낸 강력한 통치자로 평가합니다. 다른 사람들은 그의 강압적인 통치, 잘못된 경제 관리, 변화하는 시대에 적응하지 못했다고 비판합니다.

필리프 2세(Filipe II)

펠리페 3세(Felipe III)는 경건한 펠리페로도 알려져 있으며 1578년 4월 14일 스페인 마드리드에서 태어났습니다. 그는 스페인 국왕 펠리페 2세와 그의 네 번째 왕비 오스트리아 출신 아나 사이에 태어난 아들이었습니다. 합스부르크 왕조의 일원으로서 펠리페 3세는 왕실 가정에서 자랐고 전통적인 교육을 받았습니다.

펠리페 3세는 1598년 9월 13일 아버지가 사망한 후 왕위에 올랐습니다. 그는 스페인 펠리페 2세이자 포르투갈에서는 필리프 2세(Filipe II) 국왕이 되어 1621년 3월 31일 사망할 때까지 통치했습니다. 그의 통치는 스페인 역사에서 성공과 도전으로 점철된 중요한 시기였습니다.

그의 중요한 업적 중 하나는 1609년 네덜란드 공화국과 체결한 임시 평화 협정, 즉 '12년 휴전'이었습니다. 이로써 스페인과 네덜란드 반군 간의 갈등은 상대적으로 안정된 시기를 맞이하게 되었습니다. 펠리페 3세는 또한 30년 전쟁(1618~1648년)의 초기 단계에서 중추적인 역할을 수행하며 일련의 군사 작전을 통해 스페인을 전쟁으로 성공적으로 이끌었습니다.

펠리페 3세의 리더십 스타일은 역사가들로부터 종종 비판을 받았습니다. 그는 재위 기간과 그 이후에 널리 비난을 받았던 부패한 레르마(Lerma) 공작의 영향력에 크게 의존했습니다. 레르마 공작에 대한 국왕의 신뢰는 스페인의 경제적 어려움에 기여했다는 이유로 큰 비판을 받았습니다.

펠리페 3세는 통치 기간 내내 수많은 도전에 직면했습니다. 계속되는 군사 분쟁과 재정 관리 부실로 악화된 스페인 경제의 쇠퇴는 그의 효과적인 통치 능력에 영향을 미치는 중요한 문제였습니다. 기독교로 개종한 무슬림의 후손인 모리스코 가문의 추방도 경제적 혼란과 사회 불안을 야기했습니다.

펠리페 3세의 유산에 대해 역사가들은 종종 부정적으로 평가합니다. 해외에서 그의 평판은 대체로 부정적이었으며, "불분명하고 하찮은 사람", "비참한 군주"와 같은 묘사가 많았습니다.

필리프 3세(Filipe III)

"위대한 왕(The Great)", "행성의 왕(The Planetary King)"으로도 알려진 펠리페 4세(Felipe IV)는 1605년 4월 8일 스페인 바야돌리드(Valladolid)에서 태어났습니다. 그는 펠리페 3세 국왕과 오스트리아 출신의 마르가리다 왕비 사이에서 태어난 장남이었어요. 그는 강력한 합스부르크 왕조에서 태어나 향후 통치자로서의 역할을 위한 발판을 마련했습니다.

펠리페 4세는 10세 때 프랑스의 엘리자베스와 결혼하여 중요한 정치적 동맹을 맺었습니다. 두 사람 사이에는 일곱 명의 자녀가 있었지만 두 명(마르가리타 테레사와 카를로스 2세)만 성인이 될 때까지 살아남았습니다: 첫 번째 부인이 사망한 후 펠리페 4세는 오스트리아 출신의 마리아 안나와 결혼하여 오스트리아 합스부르크 가문과의 유대를 강화했습니다.

펠리페 4세는 1621년 3월 31일 아버지가 사망한 후 왕위에 올랐습니다. 부친의 통치가 부패와 경제 쇠퇴로 점철되어 있었기 때문에 그의 통치는 큰 기대를 받으며 시작되었습니다. 새 왕은 이전 정부에 막강한 영향력을 행사하던 레르마 가문의 영향력을 제거하여 행정 개혁을 시행하는 것을 목표로 삼았습니다. 또한 왕실 의회의 규모를 줄이고 재정적 책임을 강화하고자 했습니다.

펠리페 4세는 재위 기간 동안 국내외적으로 수많은 도전에 직면했습니다. 가장 중요한 사건 중 하나는 유럽에서 30년 전쟁이 발발한 것이었습니다. 처음에는 페르디난트 2세 황제와 함께 보헤미아에 군사적으로 개입해야 한다는 측근들의 설득에 따라 펠리페 4세는 더욱 공격적인 외교 정책을 추진했습니다. 그는 네덜란드 공화국과도 갈등을 빚었고 여러 유럽 열강과 평화 조약을 모색했습니다.

포르투갈에서는 1640년 포르투갈 복원 전쟁으로 알려진 반란이 일어나 주앙 4세(João IV)가 왕으로 선포되고 스페인 통치가 종식되었습니다. 이 사건은 펠리페 4세의 권위에 큰 도전을 주었고 스페인과 포르투갈 사이에 길고 값비싼 전쟁을 초래했습니다. 이렇듯 연이어 전쟁과 분쟁에 연루되는 바람에 제국의 자원이 고갈되고 제국의 쇠퇴에 기여했습니다.

이러한 도전에도 불구하고 펠리페 4세는 특히 스페인 황금기에 예술을 후원한 것으로 기억되고 있습니다. 그는 유럽 전역에서 인상적인 예술 작품을 수집하고 디에고 벨라스케스 같은 유명 예술가를 후원했습니다. 연극과 문학에 대한 그의 지원도 당시의 문화적 번영에 기여했습니다.

말년에 펠리페 4세는 건강이 악화되었고 국내외에서 정치적 도전에 직면했습니다. 그는 평생 동안 마리아 칼데론(María Calderón)을 포함하여 수많은 정부를 가졌으며, 그에게는 후안 호세(Juan José de Austria)라는 사생아를 낳았습니다. 사생아의 왕위 계승 가능성은 그의 섭정 기간 동안 불안정을 야기했습니다.

펠리페 4세는 1665년 9월 17일 마드리드에서 60세의 나이로 세상을 떠났습니다. 그는 스페인의 산 로렌조 데 엘 에스코리알(El Escorial) 수도원에 묻혔습니다.

4. 브라간사 왕가

주앙 4세(João IV)

회복자 주앙(João the Restorer)이라고도 알려진 주앙 4세(João IV)는 1604년 3월 19일 포르투갈 빌라 비쏘사(Vila Viçosa) 공작궁에서 태어났습니다. 그는 브라간사 7대 공작 테오도시우 2세와 스페인 궁정의 귀족 여성 아나 데 벨라스코 에 기론의 아들이었습니다. 주앙은 1630년에 공작 작위를 물려받아 브라간사 8대 공작이 되었으며, 기마랑이스 5대 공작과 바르셀로스 3대 공작이 되었습니다.

브라간사 가문은 왕국에서 큰 명성을 가지고 있는 명문가문이었고, 주앙 4세는 포르투갈에서의 스페인 통치에 대한 불만이 커지면서 반사이익을 얻었습니다. 1633년 8월, 주앙 4세는 동생 알렉산드르와 함께 에보라(Évora)를 방문하여 차기 군주로 영접받으며 혁명에 대한 생각을 공유하게 됩니다. 처음에는 망설였지만 주앙 4세는 결국 스페인 통치에 반대하는 반란을 이끌 책임을 받아들였습니다.

이베리아 연합 탄생 60년이 되는 1640년 12월 1일, 40명의 귀족과 부르조아가 주동한 혁명이 일어나게 됩니다. 이들은 매국노 국무장관 미겔 드 바스콘셀로스(Miguel de Vasconcelos)를 살해하고 포르투갈 총독이자 왕의 사촌인 만토바 공작부인(duquesa de Mântua)을 투옥합니다. 그리고 브라간사 8대 공작 주앙은 1640년 12월 15일 포르투갈의 국왕 주앙 4세(João IV)로 공식적으로 선포되었습니다.

주앙 4세는 국왕으로서 중대한 도전에 직면했습니다. 그의 주요 목표 중 하나는 스페인의 지배로부터 포르투갈의 독립을 회복하는 것이었습니다. 그는 스페인이 점령한 포르투갈 영토를 정복하기 위해 회복 전쟁을 이끌었습니다. 이 전쟁은 20년 이상 지속되었으며 이베리아 반도와 해외 식민지에서의 군사 작전이 모두 포함되었습니다.

주앙 4세는 통치 기간 동안 포르투갈과 다른 유럽 강대국과의 동맹을 강화하는 데 주력했습니다. 그는 포르투갈의 독립을 인정하고 재정적, 군사적 지원을 확보하기 위해 주요 국가에 외교관을 파견했습니다. 영국, 프랑스, 스웨덴은 포르투갈이 스페인에 맞서 싸우는 과정에서 지원을 제공했습니다.

주앙 4세의 통치는 포르투갈 역사의 전환점이 되었습니다. 그의 노력으로 1668년 리스본 조약(Treaty of Lisbon)을 통해 스페인으로부터 포르투갈의 독립을 인정받게 되었습니다. 이 조약으로 포르투갈의 주권이 확인되었고 복원 전쟁이 종식되었습니다.

1656년 11월 6일, 주앙 4세는 리스본의 히베이라 궁전에서 52세의 나이로 세상을 떠났습니다. 그는 리스본의 상 비센트 드 포라

(São Vicente de Fora) 교회에 있는 브라간사 가문 판테온에 묻혔습니다.

아폰수 6세(Afonso VI)

"승리자(the Victorious)"라고도 알려진 아폰수 6세(Afonso VI)는 1643년 8월 21일 포르투갈 리스본의 히베이라 왕궁(Paço da Ribeira)에서 태어났습니다. 그는 주앙 4세와 그의 아내 루이자 드 구스망(Luísa de Gusmão)의 아들이었습니다. 어렸을 때 아폰수는 왕위에 오를 운명이 아니었고, 형 테오도시우(Teodósio)가 후계자였기 때문에 왕위에 대한 교육이나 준비도 거의 받지 못했습니다.

포르투갈이 스페인과 복원 전쟁을 치르고 있었기 때문에 아폰수의 어린 시절과 청소년기는 정치적 긴장과 우려로 점철되어 있었습니다. 3~4세 때 아폰수는 몸의 오른쪽에 영향을 미치는 '악성 열병'에 걸려 신체적, 정신적, 성생활에 지속적인 영향을 미쳤습니다. 신체적 한계에도 불구하고 아폰수는 형 테오도시우(Teodósio)가 결핵으로 사망한 후 왕위 계승자가 되었습니다.

주앙 4세는 죽기 전에 아폰수의 남동생 페드로(Pedro)에게 방대한 영지를 물려주었고, 페드루는 훗날 포르투갈의 국왕이 되었습니다. 카자 두 인판타두(Casa do Infantado)로 알려진 이 영지는 왕실의 지원과 중요성을 보장했습니다. 그러나 일부 역사가들은 이 조치가 단순히 왕실의 차남을 부양하기 위한 것이 아니라 왕실의 권력과 부를 확보하기 위한 수단으로 해석하기도 합니다.

아폰수는 1656년 11월 6일, 13세의 나이로 왕위에 올랐으며 어머니 루이자가 섭정을 맡았습니다. 그의 통치 기간 동안 복원 전쟁이 종식되고 스페인이 포르투갈의 독립을 인정했습니다. 아폰수는 마리아 프란시스카 데 사보이아(Maria Francisca de Saboia)와의 결혼을 통해 프랑스와도 동맹을 맺었습니다. 그러나 그는 육체적, 정신적으로 약해져 있었기 때문에 동생 페드루가 1668년 반란을 일으켜 그를 무능력하다고 선언했습니다. 페드루는 섭정이 되어 아폰수의 결혼을 무효화하고 전임왕비이자 형수였던 마리아 프란시스카 데 사보이아와 직접 결혼했습니다. 아폰수는 남은 재위 기간을 사실상 죄수로 보냈습니다.

아폰수의 통치는 복원 전쟁 기간 동안 스페인과의 여러 주요 전투와 군사적 승리로 특징 지어졌습니다. 산초 마노엘과 루이스 데 바스콘셀로스 에 소사와 같은 그의 장군들은 포르투갈의 독립을 수호하는 데 결정적인 역할을 했습니다. 마리알바 후작과 숌베르크 백작이 이끈 1665년 몬트스 클라루스(Montes Claros) 전투는 포르투갈의 중요한 승리로 기록되었습니다.

이러한 군사적 성공에도 불구하고 아폰수의 통치 기간 동안 포르투갈의 힘과 영향력은 전반적으로 쇠퇴했습니다. 포르투갈은 네덜란드와의 갈등과 무역 중단 등 해외 식민지에서 어려움에 직면했습니다. 군주제의 약점과 이러한 문제를 해결하지 못한 것이 포르투갈의 쇠퇴에 기여했습니다.

아폰수의 통치는 1683년 9월 12일 신트라 궁전에서 40세의 나이로 사망하면서 비극적으로 끝났습니다. 그는 리스본의 상 비센트 드 포라(São Vicente de Fora) 교회에 있는 브라간사 가문 판테온에 묻혔습니다.

페드루 2세(Pedro II)

"평화의 왕(the Pacific)"으로도 알려진 포르투갈의 페드루 2세(Pedro II)는 1648년 4월 26일 포르투갈 리스본의 히베이라 궁전에서 태어났습니다. 주앙 4세와 루이자 드 구스망 왕비의 다섯째이자 막내 아들이었습니다.

페드루 2세의 왕위 등극은 일련의 사건을 통해 이루어졌습니다. 1668년, 그는 정신적 무능력자로 선언된 형 아폰수 6세를 대신해 섭정을 맡게 됩니다. 섭정 기간 동안 페드루 2세는 왕국의 안정과 평화를 보장하며 효과적인 통치 능력을 보여주었습니다. 그는 1668년 리스본 조약(Treaty of Lisbon)을 성공적으로 협상하여 주앙 4세의 독립선언 이후 계속되어온 스페인과의 갈등을 종식시켰습니다.

1683년 아폰수 6세가 사망하자 페드루 2세는 공식적으로 포르투갈과 알가르브의 국왕이 되었습니다. 그의 통치는 스페인과의 복원 전쟁으로 심각한 영향을 받은 포르투갈을 재건하는 것을 목표로 했습니다. 페드루 2세는 포르투갈의 동맹을 강화하고 다른 유럽 강대국들과 외교 관계를 수립하는 데 주력했습니다.

페드루 2세의 중요한 업적 중 하나는 영국과의 동맹입니다. 1661년, 그는 누이인 카타리나 드 브라간사(Catarina de Bragança) 공주와 영국 국왕 찰스 2세(Charles II) 사이의 결혼을 주선했습니다. 이 결혼은 포르투갈과 영국 간의 동맹을 공고히 하고 포르투갈의 독립에 중요한 지원을 제공했습니다. 이 동맹을 통해 포르투갈은 영국의 군사적 보호를 받을 수 있었고 양국에 이익이 되는 무역 협정을 촉진할 수 있었습니다.

페드루 2세는 재위 기간 동안 포르투갈의 경제를 개선하고 산업 발전을 촉진하기 위한 노력도 기울였습니다. 그는 섬유 제조 산업의 설립을 장려하고 생산 기술을 향상시키기 위해 외국 전문가를 영입했습니다. 또한 브라질의 금광 탐사를 지원하여 브라질에 번영을 가져다주었습니다.

페드로 2세는 많은 업적에도 불구하고 재위 기간 동안 중대한 도전에 직면했습니다. 스페인 왕위 계승 전쟁은 포르투갈에게 딜레마를 안겨주었습니다. 1700년 스페인의 카를로스 2세가 사망하자 여러 유럽 열강이 스페인 왕좌를 차지하기 위해 경쟁하면서 왕위 계승의 위기가 촉발되었습니다. 페드루 2세는 처음에는 프랑스와 스페인의 편에 섰지만 나중에 오스트리아 후보인 오스트리아의 카를 대공을 지지하기로 입장을 바꿨습니다. 결과적으로 포르투갈은 승자의 편에 선 것이 되어 현재 스페인 남서부에 위치한 도시인 올리벤자(Olivenza)와 이전에 스페인의 지배하에 있던 알렌테주(Alentejo) 지역을 획득할 수 있었습니다.

말년에 페드루 2세는 건강 문제에 직면했습니다. 그는 심한 무기력증을 경험했고 후두 감염 진단을 받았습니다. 1706년 12월 9일, 페드로 2세는 뇌졸중으로 의식을 잃고 세상을 떠났습니다. 부검 결과 간 질환이 근본적인 원인으로 밝혀졌습니다.

페드로 2세는 리스본의 상 비센트 드 포라(São Vicente de Fora) 교회에 있는 브라간사 가문 판테온에 묻혔습니다. 하지만 그의 심장은 알칸타라에 있는 노사 세뇨라 다 키에타사웅(Nossa Senhora da Quietação) 교회에 묻혔습니다. 그가 살다가 죽은 알칸타라 왕궁(Paço Real de Alcântara)과 가까운 교회라 그렇게 결정한 것 같습니다.

주앙 5세(João V)

‘자애로운 왕(the Magnanimous)으로도 알려진 포르투갈의 주앙 5세(João V)는 1689년 10월 22일 포르투갈 리스본의 히베이라 왕궁에서 태어났습니다. 그는 페드루 2세 국왕과 노이부르크의 마리아 소피아 왕비의 둘째 아들이었습니다. 1706년 12월 9일 왕위에 올랐고 1750년 7월 31일 사망할 때까지 통치했습니다.

주앙 5세의 43년 통치는 두 시기로 나눌 수 있습니다. 전반기에 포르투갈은 유럽 및 세계 정치에서 적극적이고 관련성 있는 역할을 수행했습니다. 이 기간 동안 주앙 5세는 포르투갈을 국제적인 강대국으로 부상시키려고 노력했습니다. 그는 1708년 레오폴트 1세 황제, 1715년 프랑스 루이 14세 국왕, 1716년 교황 클레멘트 11세에게 호화로운 사절단을 보냈습니다.

주앙 5세는 포르투갈의 위상을 높이기 위한 야심찬 건축 프로젝트로도 유명합니다. 마프라 국립 궁전, 코임브라 대학의 조아니나

도서관, 리스본의 수도교, 리스본 국립 마차 박물관의 소장품 등 주목할 만한 건축물이 몇 가지 있습니다.

그러나 1730년대부터 시작된 그의 통치 후반기에 포르투갈과 영국과의 동맹은 점차 더 중요해졌습니다. 이 기간 동안 왕국은 일정한 침체를 경험하기 시작했습니다. 주앙 5세는 예술과 문화의 후원자였으며 역사와 포르투갈어 연구를 장려했습니다. 그는 또한 서방 가톨릭 교회의 세 총대주교좌 중 하나인 리스본 총대주교좌를 설립했습니다.

주앙 5세의 외교적 업적 중 하나는 1750년 마드리드 조약(Treaty of Madrid)에 서명하여 브라질의 현대적 국경을 확립한 것입니다. 그의 통치는 오우루 프레투(Ouro Preto), 상 주앙 델 헤이(São João del-Rei), 마리아나(Mariana), 상 주제(São José) 등의 도시를 포함하여 브라질에 중요한 흔적을 남겼습니다. 마드리드 조약으로 새롭게 만들어진 국경 때문에 예수회가 복음화하면서 관리하던 과라니 부족이 고향을 떠나 강제 이주하는 상황이 발생했고 그로 인해 생긴 것이 과라니 전쟁(Guerra Guaranítica)입니다. 이때 상황은 1986년 영화 미션으로 만들어졌습니다.

주앙 5세는 말년에 건강 문제에 직면하여 통치 능력에 영향을 미치는 마비 증상을 여러 차례 겪었습니다. 여러 수녀와 사생아와의 관계를 포함한 사생활에도 불구하고 그는 1748년 교황으로부터 피델리시무(Fidelíssimo)라는 명예 작위를 받았습니다.

1750년 7월 31일 주앙 5세는 사망 후 리스본의 상 비센트 드 포라(São Vicente de Fora) 교회에 있는 브라간자 가문의 판테온에 묻혔습니다.

주제 1세(José I)

개혁자(the Reformer)라고도 알려진 포르투갈의 주제 1세(José I)는 1714년 6월 6일 리스본의 히베이라 왕궁에서 태어났습니다. 그는 주앙 5세 국왕과 오스트리아 마리아 아나 여왕의 셋째 아들이었습니다. 주제 1세는 1750년 7월 31일 아버지가 사망한 후 왕위에 올랐습니다.

주제 1세는 공주 교환(Troca das Princesas)이라고 불리게 되는 외교 동맹의 일환으로 스페인의 마리아나 빅토리아와 결혼했습니다. 결혼은 1727년 12월 27일에 이루어졌는데, 주제 1세가 아직 브라질의 왕자였을 때였습니다. 마리아나 빅토리아는 어린 나이에 스페인으로 파견되었지만 상황이 바뀌면서 포르투갈로 돌아와 주제 1세와 결혼했습니다.

주제 1세가 왕이 되었을 때 행정 및 정치 구조가 낙후된 국가를 통치해야 하는 어려움에 직면했습니다. 하지만 그의 통치는 국무장

관인 폼발 후작의 영향력이 컸습니다. 폼발 후작은 법률, 경제, 포르투갈 사회를 재편하는 중요한 개혁을 시행하여 포르투갈을 현대 국가로 탈바꿈시켰습니다.

재위 기간 동안 주제 1세는 1755년 11월 1일에 발생한 리스본 대지진을 비롯하여 수많은 도전에 직면했습니다. 지진으로 인해 도시가 광범위하게 파괴되자 주제 1세는 폼발 후작에게 리스본을 재건하는 임무를 맡겼습니다. 재건 노력의 결과로 지진에 더욱 견딜 수 있도록 설계된 새로운 도심 지역인 바이사 폼발리나(Baixa Pombalina)가 탄생했습니다.

주제 1세의 통치 기간 중 주목할 만한 또 다른 사건은 1758년 암살 미수 사건입니다. 주제 1세는 암살 시도에서 살아남았고 이후 관련자들에 대한 가혹한 단속을 지시했습니다. 타보라 후작과 다른 가족 구성원들은 처형되었고 예수회는 포르투갈과 식민지에서 추방되었습니다.

주제 1세의 말년은 건강 악화로 점철되었습니다. 1774년, 그는 정신적 불안정으로 인해 통치 부적격 판정을 받았습니다. 리스본 대지진으로 인해 폐쇄공포증이 생겼고 죽을 때까지 벽이 있는 건물 안에서 살지 못했습니다. 그때문에 왕실 가족들은 아주다 언덕에 큰 천막을 치고 살 수 밖에 없었습니다. 그의 아내 마리아나 빅토리아는 1777년 2월 24일 주제 1세가 사망할 때까지 섭정의 역할을 맡았습니다. 주제 1세는 리스본의 상 비센트 드 포라 교회에 있는 브라간사 가문의 판테온에 묻혔습니다.

마리아 1세(Maria I)

경건한 마리아(the Pious) 또는 미친 마리아(the Mad)라고도 알려진 마리아 1세(Maria I)는 1734년 12월 17일 포르투갈 리스본의 히베이라 왕궁에서 태어났습니다. 마리아는 스페인의 주제 1세 국왕과 그의 아내 마리아나 빅토리아의 장녀였습니다. 마리아는 엄격한 가톨릭 환경에서 교육을 받았으며 공주로서는 전통적인 교육을 받았습니다.

1750년 아버지가 주제 1세 국왕으로 즉위하자 마리아는 브라질의 공주이자 브라간자 공작부인이 되었습니다. 그녀는 왕위 계승자로 지명되어 그에 따른 칭호와 책임을 부여받았습니다.

마리아의 여왕 통치는 아버지가 사망한 1777년 2월 24일에 시작되었습니다. 마리아는 1777년 5월 13일에 공식적으로 여왕으로 추대되었습니다. 마리아의 통치 기간은 입법, 상업, 외교 활동으로 특징지어집니다. 1789년 프로이센과 무역 조약을 체결하고 여러 포르투갈 식민지에 과학 사절단을 파견하여 문화와 과학을 장려했습니다. 또한 리스본 왕립 과학 아카데미와 왕립 공공 도서관과 같은 기관을 설립하기도 했습니다.

독실한 가톨릭 신자였던 마리아는 경건함과 자선 활동에 대한 헌신으로 유명했습니다. 그녀는 프랑스 혁명을 피해 도망친 수많은 프랑스 귀족들에게 망명을 허락했고, 도움이 필요한 사람들에게 큰 동정심을 보였습니다. 그러나 그녀는 또한 우울하고 종교적인 열정에 빠지기 쉬웠으며, 이는 때때로 그녀의 의사 결정에 영향을 미쳤습니다.

마리아의 정신 건강은 1792년부터 악화되기 시작했고, 아들 주앙이 마리아를 대신하여 섭정을 맡게 되었습니다. 마리아는 깊은 우울증에 시달렸고 종종 죄책감과 부적절함에 압도당했습니다. 1786년 남편 페드루 3세와 1788년 장남인 주제(José) 왕세자가 사망한 후 그녀의 정신적 불안정성은 더욱 악화되었습니다.

1807년 프랑스의 포르투갈 침공을 맞아 마리아는 왕실과 함께 당시 포르투갈 식민지였던 브라질로 피신했습니다. 마리아는 리우데자네이루에서 8년 동안 살았지만 여전히 정신적 무능력으로 고통받았습니다. 마리아는 1816년 3월 20일 리우데자네이루의 카르모 수녀원에서 81세의 나이로 사망했습니다. 장례식이 끝난 후 마리아의 시신은 처음에는 리우의 아주다 수녀원에 묻혔다가 나중에 리스본으로 옮겨져 에스트렐라 대성당(Basilica da Estrela)에 있는 영묘에 안장되었습니다.

주앙 6세(João VI)

주앙 6세(João VI)는 1767년 5월 13일 포르투갈 리스본의 켈루즈(Queluz) 왕궁에서 태어났습니다. 주앙 6세(João VI)는 포르투갈 국왕 페드루 3세와 포르투갈 여왕 마리아 1세의 둘째 아들이었습니다. 왕족으로 태어난 주앙은 왕위 계승자였던 형 주제(José)의 그늘에서 살았지만 형이 27살에 천연두로 세상을 떠나고 그가 새로운 왕위후계자가 되면서 주앙의 삶은 큰 전환점을 맞이하게 됩니다.

1792년 마리아 1세 여왕은 정신적으로 통치 능력이 없다고 선언되었고, 주앙은 마지못해 섭정의 역할을 맡게 되었습니다. 주앙의 섭정 기간은 스페인, 프랑스, 영국과 같은 국가들의 끊임없는 외부 간섭으로 점철되었습니다. 그의 통치 기간 중 가장 중요한 사건 중 하나는 나폴레옹 보나파르트의 프랑스 군대가 포르투갈을 침공한 것이었습니다. 조국을 떠날 수밖에 없었던 주앙은 1808년 브라질로 피신하여 포르투갈 제국의 수도로 삼았습니다. 이 결정은 포르투갈 군주제의 생존을 보장했을 뿐만 아니라 브라질의 국가 발전에도 지속적인 영향을 미쳤습니다.

주앙 6세는 브라질에 머무는 동안 식민지를 보다 자율적이고 번영하는 지역으로 탈바꿈시키는 여러 개혁을 시행했습니다. 가장 주목할 만한 업적 중 하나는 브라질 항구를 우방국에 개방하여 무역 기회를 크게 확대하고 경제 성장을 촉진한 것입니다. 이 결정은 포르투갈 제국 내에서 브라질의 지위와 경제 강국으로 부상하는 데 큰 영향을 미쳤습니다.

주앙 6세는 또한 브라질의 자치권을 공고히 하고 현대 국가의 토대를 마련하는 제도와 서비스를 구축하는 데 중요한 역할을 했습니다. 그는 공립학교를 설립하고 국립도서관, 왕립과학원 등 문화기관을 설립했으며, 브라질의 자원과 잠재력을 탐구하는 과학 탐험을 지원했습니다.

주앙 6세의 정치적 결정은 종종 외부의 압력과 궁정 내부의 권력 투쟁에 의해 영향을 받았습니다. 스페인의 카를로타 호아키나(Carlota Joaquina)와의 결혼 생활은 왕비 카를로타가 자신과 스페인의 이익을 위해 반복적으로 음모를 꾸미면서 어려움에 봉착했습니다. 이러한 도전과 배신에도 불구하고 주앙 6세는 왕국에 대한 통제권을 유지하고 왕국의 완전성을 보존했습니다.

주앙 6세의 통치가 막바지에 이르자 그는 왕위 계승과 관련된 또 다른 도전에 직면했습니다. 그의 아들 페드루는 1822년 브라질의 독립을 선언했고, 그 결과 식민지를 잃게 되었습니다. 게다가 그의 다른 아들 미겔(Miguel)은 반란을 일으켜 아버지인 주앙 6세를 왕좌에서 끌어내리려 했습니다. 이러한 갈등으로 인해 주앙 6세의 통치는 더욱 복잡해졌습니다.

주앙 6세는 1826년 3월 10일 리스본 벰포스타(Bemposta) 궁전에서 58세의 나이로 세상을 떠났고, 리스본 상 비센트 드 포라 수도원에 있는 브라간사 가문의 왕실 판테온에 안장되었습니다.

페드루 4세(Pedro IV)

브라질 페드루 1세라고도 알려진 페드루 4세(Pedro IV)는 1798년 10월 12일 포르투갈의 켈루즈(Queluz) 왕궁에서 태어났습니다. 그는 주앙 6세 국왕과 스페인 출신의 카를로타 호아키나 여왕의 넷째 자녀였습니다.

페드루는 1807년 프랑스 군이 포르투갈을 침공할 때까지 포르투갈에서 어린 시절을 보냈습니다. 하지만 침공을 피해 왕실은 가장 크고 부유한 식민지였던 브라질로 피난을 떠나야 했습니다. 특권층에서 자랐음에도 불구하고 페드로는 소박한 생활 방식을 유지했으며 서민들에게 친근하고 자비로운 인물로 정평이 나있었습니다.

1820년, 포르투갈에서는 포르투 자유주의 혁명으로 알려진 자유주의 혁명이 일어났습니다. 페드루의 아버지 주앙 6세는 혁명에 대응하기 위해 포르투갈로 귀국했고, 페드루는 브라질의 섭정 자리에 올랐습니다. 포르투갈 국왕 주앙 6세가 본국으로 귀국하게 되자 1808년 포르투갈 왕실이 도착한 이래 브라질이 누려온 자치권을 박탈하고 다시 식민지로 격하하려는 목소리가 본국에서 커지기 시작했습니다.

이를 부당하다고 여긴 페드루는 1822년 9월 7일 포르투갈로부터 브라질의 독립을 선언했습니다. 그는 24번째 생일인 10월 12일에 브라질 페드루 1세 황제로 즉위했습니다. 페드루는 1824년 3월까지 포르투갈에 충성하는 반대세력을 성공적으로 물리치고 브라질의 독립을 확보했습니다.

페드로는 황제로서 수많은 도전에 직면했고 브라질의 발전에 큰 공헌을 했습니다. 재위 기간 동안 페드로가 수행한 주요 역할과 업적은 다음과 같습니다:

독립의 공고화: 페드로는 브라질을 독립 국가로 확립하고 포르투갈의 지배권 탈환 시도에 맞서 브라질을 성공적으로 방어했습니다.

입헌 군주제: 페드로는 1824년에 공포된 브라질 헌법을 형성하는 데 중요한 역할을 했습니다. 이 헌법은 황제의 권한이 제한된 중앙집권적 군주제를 확립했습니다.

노예제 폐지: 페드로는 영국 및 다른 국가들과 조약을 체결하여 노예 무역을 폐지하기 위한 조치를 취했습니다. 그의 통치 기간 동안 노예 제도가 완전히 폐지되지는 않았지만, 이러한 조치는 향후 노력의 토대를 마련했습니다.

영토 확장: 페드로는 시스플라티나(나중에 우루과이가 됨)와 같은 주를 제국에 편입시켜 브라질의 영토를 확장했습니다.

내부 안정: 페드로는 재위 기간 동안 브라질 북동부의 적도 연맹을 비롯한 여러 봉기와 분리주의 운동을 처리했습니다. 그는 이러한 반란을 성공적으로 진압하여 내부 안정을 유지했습니다.

1826년 페드루는 아버지 주앙 6세의 죽음 이후 왕위 계승의 위기에 직면했습니다. 그는 포르투갈 왕위(페드루 4세)에 오르자마자 장녀 마리아 2세를 위해 왕좌에서 물러났지만 동생 미겔이 권력을 장악하고 포르투갈 내전을 일으켰습니다. 페드루는 장녀 마리아 2세의 왕위 복위를 위해 내전에 참여할 수 밖에 없었습니다.

페드루의 말년은 정치적 어려움과 건강 악화로 점철된 시기였습니다. 그는 포르투갈에서 계속되는 분쟁으로 어려움을 겪었고 브라질에서는 정치적 분쟁에 대한 불만이 커졌습니다. 1831년 페드루는 어린 아들 페드루 2세를 위해 브라질 왕좌에서 물러나 유럽으로 돌아갔습니다.

포르투갈의 자유주의 운동을 지원하기 위해 페드루는 1832년 포르투갈에 돌아왔지만 얼마 지나지 않아 결핵에 걸렸습니다. 그는 1834년 9월 24일 35세의 나이로 켈루즈 왕궁에서 사망했습니다.

마리아 2세(Maria II)

마리아 2세(Maria II)는 1819년 4월 4일 브라질 리우데자네이루의 상 크리스토바웅(São Cristóvão) 궁전에서 태어났습니다. 브라질의 페드루 1세 황제(포르투갈의 페드루 4세라고도 함)와 그의 첫 번째 부인인 오스트리아의 마리아 레오폴디나의 장녀였습니다.

마리아 2세의 아버지는 1826년 3월 페드루 4세로 포르투갈 왕위에 올랐지만 곧바로 퇴위를 하고 마리아 2세에게 왕위를 물려주었습니다. 하지만 당시 7살의 어린 나이였기에 페드루 4세는 자신의 남동생이자 마리아의 삼촌인 미겔을 마리아와 결혼시키고 마리아가 성인이 될 때까지 그에게 섭정을 맡길 생각이었습니다. 하지만 1828년 남동생 미겔이 자신의 조카이자 아내인 마리아 2세 여왕을 폐위하고 미겔 1세(Miguel I)로 직접 왕위에 오름으로써 여왕의 통치는 단명했습니다. 이로 인해 자유 전쟁 또는 포르투갈 내전으로 알려진 혼란과 갈등의 시기가 이어졌습니다.

자유주의 전쟁은 1828년 마리아 2세가 삼촌 미겔 1세에 의해 폐위되고 미겔 1세 자신을 왕으로 선포하면서 시작되었습니다. 이로 인해 마리아 2세의 자유주의 지지자들과 미겔 1세의 절대주의 지지자들 사이에 장기간의 갈등이 촉발되었고, 마리아 2세의 아버지 페드루 4세가 이끄는 자유주의 세력은 마리아 2세를 왕위에 복귀시키기 위해 싸웠습니다. 결국 자유주의 세력이 승리를 거두었고 마리아 2세는 1834년 15세의 나이로 왕위에 복귀했습니다. 이로써 여왕으로서의 두 번째 통치가 시작되었습니다.

재위 기간 동안 마리아 2세는 포르투갈의 입헌 군주제를 공고히 하고 개혁을 시행하는 데 주력했습니다. 교육과 사회 복지 증진에 힘쓴 그녀는 종종 "교육자", "좋은 어머니"로 불립니다.

마리아 2세의 주요 업적 중 하나는 포르투갈의 헌법적 틀을 확립한 것입니다. 마리아 2세는 1838년 포르투갈 헌법의 초안을 작성하고 시행하는 데 결정적인 역할을 했으며, 이는 포르투갈이 입헌군주제로의 전환을 공고히 하는 계기가 되었습니다.

또한 마리아 2세는 재위 기간 동안 교육 개혁을 우선시했습니다. 마리아 2세는 교육받은 국민이 국가의 발전과 안정에 기여한다는 신념으로 모든 사회 계층과 성별에 대한 교육 기회를 확대하기 위해 노력했습니다.

마리아 2세는 교육에 중점을 두는 것 외에도 공중 보건과 복지를 개선하기 위해 노력했습니다. 그녀는 빈곤 퇴치, 의료 인프라 개선, 도움이 필요한 사람들에게 지원을 제공하기 위한 프로젝트를 지원했습니다.

1853년 11월 15일, 34세의 나이로 마리아 2세는 리스본의 네세

시다데스(Necessidades) 궁전에서 세상을 떠났습니다. 그녀의 죽음은 출산 후 합병증으로 인한 것이었습니다.

미겔 1세(Miguel I)

"절대주의자(the Absolutist)", "전통주의자(the Traditionalist)"로도 알려진 미겔 1세(Miguel I)는 포르투갈 역사에서 중요한 인물이었습니다. 그는 1826년부터 1828년까지 포르투갈 왕국의 섭정을 지냈으며, 이후 1828년부터 1834년까지 포르투갈과 알가르브 왕국의 국왕이 되었습니다.

미겔 1세는 1802년 10월 26일 포르투갈 왕실에서 태어났습니다. 그는 스페인의 주앙 6세 국왕과 인판타 카를로타 호아키나의 일곱째 아이였습니다. 미겔 1세에게는 여러 형제가 있었는데 그 중에는 포르투갈의 페드루 4세(브라질의 페드루 1세)도 포함되어 있습니다.

미겔 1세의 왕위 등극은 포르투갈 역사상 격동의 시기에 이루어졌습니다. 주앙 6세가 사망한 후 그의 여동생 이사벨이 섭정을 맡았습니다. 그러나 이사벨은 왕좌가 조카인 브라질의 페드루 1세에게 넘어가야 한다고 믿었습니다. 브라질의 페드루 1세는 딸 마리아를 위해 브라질 왕좌에서 물러나 포르투갈 페드루 4세로 즉위했지만, 아버지의 유언을 존중하여 즉위 후 얼마 되지 않아 딸 마리아를 포르투갈 왕좌의 후계자로 지명하고 물러났습니다. 하지만 당시 딸 마리아가 7살의 어린 나이였기에 페드루 4세는 자신의 남동생이자 마리아의 삼촌인 미겔을 마리아와 결혼시키고 마리아가 성인이 될 때까지 그에게 섭정을 맡길 생각이었습니다.

1828년 페드루 4세의 계획과는 달리 남동생 미겔이 자신의 조카이자 아내인 마리아 2세 여왕을 폐위하고 미겔 1세(Miguel I)로 직접 왕위에 오르게 됩니다. 입헌주의자들에 따르면 미겔 1세는 조카 마리아로부터 왕좌를 빼앗은 찬탈자였습니다. 그러나 미겔 1세의 지지자들은 페드루가 브라질 독립을 선언하고 황제가 되었을 때 포르투갈 왕권에 대한 권리를 상실했다고 주장했습니다. 그들은 미겔 1세를 주앙 6세의 적법한 후계자로 여겼습니다. 미겔 1세의 통치는 강한 가톨릭 신념과 전통주의적 신념으로 특징지어졌으며, 이는 특히 안정과 강력한 지도자를 갈망하는 귀족과 서민층의 상당수에게 호소력을 발휘했습니다.

미겔 1세는 재위 기간 동안 여러 정책을 시행하고 중요한 정치적 결정을 내렸습니다. 그는 자유주의 세력의 반대와 국제적인 압력에도 불구하고 스페인과 미국 등 영향력 있는 국가들로부터 인정을 받았습니다. 미겔 1세의 통치 기간에 도전과 논란이 없었던 것은 아니었습니다. 자유주의 부르주아지와 군부는 그의 절대주의 통치와 입헌 정부 거부에 반대했습니다. 게다가 전통주의적 이상에 대한 그의 강한 유대감은 입헌군주제를 옹호하는 자유주의 사상과 프리메이슨의 영향력이 커지면서 충돌했습니다. 이러한 긴장은 포르투갈 내전(1831~1834년)의 발발로 이어졌고, 결국 그는 패배하고 망명길에 올랐습니다.

남북전쟁에서 패배한 후 미겔 1세는 이탈리아에서 망명 생활을 하다가 영국으로 망명했고, 마침내 독일에 정착했습니다. 1851년 뢰벤슈타인-베르트하임-로젠베르크의 애들레이드 공주와 결혼하여 7명의 자녀를 낳았습니다. 포르투갈 왕좌를 되찾을 희망을 품고 있던 미겔 1세는 1866년 11월 14일 독일 베르트하임에서 세상을 떠났습니다.

페드루 5세(Pedro V)

"희망의 왕(the Hopeful)", "많은 사랑을 받은 왕(the Much Beloved)"으로도 알려진 포르투갈의 페드루 5세(Pedro V)는 1837년 9월 16일 포르투갈 리스본의 네세시다드스(Necessidades) 궁전에서 태어났습니다. 그는 포르투갈의 마리아 2세 여왕과 그녀의 남편 페르난두 2세의 장남이었습니다. 페드루 5세는 1853년 어머니가 사망한 후 16세의 어린 나이에 왕위에 올랐고, 1855년 성인이 될 때까지 아버지가 왕국의 섭정 역할을 했습니다.

페드루 5세는 어린 나이에도 불구하고 어머니 통치 기간 동안 내전을 겪은 포르투갈 국민을 왕실과 함께 성공적으로 통치한 모범적인 군주로 평가받았습니다. 그의 아버지 페르난두 2세는 페드루의 통치 초기에 사실상의 통치자 역할을 하며 어린 왕을 통치 문제에서 지도하고 주요 공공 사업 프로젝트를 감독하는 등 중요한 역할을 했습니다. 페드루 5세는 사회적 가치관이 강한 군주로 묘사되곤

했는데, 이는 지역사회와 함께 일하고 유럽 문제에 대한 폭넓은 지식을 쌓은 그의 교육 덕분이라고 할 수 있습니다.

1855년 9월 16일, 18세가 되자 페드루 5세는 섭정을 끝내고 왕으로 즉위했습니다. 같은 해 포르투갈 최초의 전기 전신 개통식을 주재했으며, 이듬해(10월 28일)에는 리스본과 카레가도(Carregado) 사이의 철도 노선을 개통했습니다. 그의 통치 기간 동안 포르투갈과 앙골라를 오가는 정기 선박 항해가 시작되었습니다.

페드로 5세는 정부의 심의와 제안을 주의 깊게 연구하며 국가 통치에 헌신했습니다. 1859년에는 9만 1천 레알의 개인 기부금으로 고급 문학 과정을 설립했습니다. 포르투갈에 미터법이 도입된 것도 그의 통치 기간 중이었습니다.

페드로 5세는 노예제 폐지를 확고하게 지지했으며, 재위 기간 중 발생한 한 사건은 이 문제에 대한 그의 신념과 유럽 열강에 대한 포르투갈의 취약성을 모두 보여줍니다. 모잠비크 해안 근처에서 프랑스 노예선이 나포되어 선장이 체포되었습니다. 그러나 프랑스 정부는 배의 석방뿐만 아니라 포르투갈 정부에 상당한 배상금을 요구하는 바람에 포르투갈은 약소국의 설움을 겪어야만 했습니다..

포르투갈은 페드루 5세 통치 기간 동안 1853년부터 1856년까지 콜레라가 유행하고 1856년부터 1857년까지 황열병이 유행하는 등 두 차례의 전염병에 직면했습니다. 이 기간 동안 국왕은 피난처를 찾는 대신 병원을 방문하고 환자들과 시간을 보내며 인기를 얻었습니다.

1858년 페드루 5세는 호헨촐레른-지그마링겐(Hohenzollern-Sigmaringen)의 에스테파니아(Estefânia) 공주와 결혼했습니다. 그러나 그녀는 이듬해에 디프테리아 급성 감염으로 세상을 떠났습니다. 공중 보건에 관심이 많았던 그녀의 유언에 따라 국왕은 사망 후 리스본에 도나 에스테파니아 병원(Hospital Dona Estefânia)을 설립했습니다.

안타깝게도 페드로 5세의 삶은 24세의 나이로 짧게 끝났습니다. 1861년 11월 11일, 그는 장티푸스로 세상을 떠났습니다. 그의 갑작스러운 죽음은 포르투갈 사회 전체에 큰 슬픔을 안겨주었습니다. 독살을 의심하여 폭동을 일으킨 사람들도 있을 정도였습니다. 페드루 5세에게는 자녀가 없었기 때문에 당시 프랑스 남부에 거주하고 있던 동생 루이스 왕자가 왕위를 계승했습니다. 페드루 5세는 리스본의 상 비센트 드 포라 수도원에 위치한 브라간사 왕가의 왕실 판테온에 안장되었습니다.

루이스 1세(Luís I)

"인기 있는 왕(the Popular)"으로도 알려진 루이스 1세(Luís I)는 1838년 10월 31일 포르투갈 리스본의 네시다다스(Necessidades) 궁전에서 태어났습니다. 그는 포르투갈의 마리아 2세 여왕과 그녀의 남편 페르난두 2세의 둘째 아들이었습니다. 루이스는 차남이었음에도 불구하고 철저한 교육을 받았으며 형인 페드루 왕자와 많은 부분을 공유했습니다.

차남 왕자인 루이스는 해군에서 경력을 쌓았고 8살에 해군 근위대 중대원으로 임명되었습니다. 그는 꾸준히 계급을 높여 마침내 1859년에 함장이 되었습니다. 루이스는 여러 해군 지휘관을 역임하며 마데이라와 아조레스 군도 탐험, 고위 인사 수송, 과학 항해 지휘 등 다양한 임무를 수행했습니다.

1861년 11월, 루이스는 형 페드루 5세의 갑작스런 사망으로 포르투갈 왕위계승자가 되었고 같은 해 12월 22일에 국왕으로 즉위했습니다. 1862년 9월, 루이스는 이탈리아 국왕 빅토르 엠마누엘 2세(Victor Emmanuel II)의 딸인 사보이의 마리아 피아(Maria Pia of Savoy) 공주와 결혼했습니다.

재위 기간 동안 루이스는 포르투갈의 중요한 발전과 개혁을 감독했습니다. 리스본과 레이쏘이스(Leixões)에 항구 건설을 시작하고, 도로와 철도망을 확장하고, 포르투에 크리스탈 궁전을 건설하고, 민사 범죄에 대한 사형을 폐지하고, 포르투갈의 노예제를 폐지하고, 포르투갈 최초의 민법을 제정했습니다.

루이스는 통치 기간 동안 다양한 도전에 직면했습니다. 1867년에는 "Janeirinha"로 알려진 일반 소비세 시행으로 인해 대중의 불만이 고조되었습니다. 1870년에는 살다냐 공작 원수가 이끄는 군사 반란이 발생하여 정부를 축출하는 것을 목표로 삼았습니다. 루이스는 살다냐의 내각을 해임하고 사다 반데이라를 임명하여 대응했습니다.

1884년 베를린 회의가 열렸고, 그 결과 포르투갈을 포함한 유럽의 주요 강대국들이 아프리카를 분할했습니다. 이로 인해 포르투갈은 식민지 확장에 참여하게 되었습니다.

루이스는 과학, 특히 해양학에 큰 관심을 가졌습니다. 그는 자신의 재산 중 상당 부분을 과학 프로젝트와 표본을 찾기 위해 대양을 횡단하는 해양학 연구선에 투자했습니다. 또한 사진 촬영에도 관심이 많았습니다.

루이스는 문화 협회와 재단을 지원하는 것으로도 유명했습니다. 그는 1871년 세이살(Seixal)에서 필하모닉 협회 우니앙 세이살렌스(União Seixalense)가 창립되는 것을 목격했습니다.

루이스 1세는 1889년 10월 19일 카스카이스 성채에서 50세의 나이로 오랜 투병 끝에 세상을 떠났습니다. 루이스 1세는 아내 마리아 피아와 두 아들을 남겼습니다: 루이스는 리스본의 상 비센트 드 포라 수도원에 있는 브라간사 가문의 왕실 판테온에 안장되었습니다.

루이스 1세의 통치는 포르투갈의 인프라, 법률 시스템, 문화 발전에 지속적인 영향을 남겼습니다. 그는 국민의 자유를 존중했던 입헌 군주로 기억되고 있습니다. 그의 통치는 포르투갈의 정치, 사회적으로 중요한 변화의 시기였습니다.

카를로스 1세(Carlos I)

1863년 9월 28일 리스본의 아주다 국립 궁전(National Palace of Ajuda)에서 태어난 포르투갈의 카를로스 1세(Carlos I)는 포르투갈의 루이스 1세 국왕과 그의 아내 사보이의 마리아 피아 공주 사이에서 태어난 장남이었습니다. 그는 1889년 10월 19일 아버지가 사망한 후 왕위에 올랐습니다.

카를로스는 어릴 때부터 미래의 군주에게 걸맞은 특권 교육을 받았습니다. 그는 왕세자이자 브라간사 공작이라는 칭호를 받았으며 여러 유럽 왕실을 광범위하게 여행했습니다. 여행 중 파리 백작의 장녀인 오를레앙의 아멜리아(Amélia of Orleans) 공주를 만나 1886년 5월 22일 리스본에서 결혼했습니다.

왕위 계승자인 카를로스는 당시의 지식인 및 문화계와 교류했습니다. 또한 군인으로서도 경력을 쌓아 포르투갈 육군에서 복무하며 원수까지 올랐습니다. 카를로스는 지적이고 외교적인 인물로 정평이 나 있어 "외교관(the Diplomat)"이라는 별명을 얻었습니다.

카를로스는 정치적 혼란기에 왕이 되었으며 통치 기간 내내 수많은 도전에 직면했습니다. 한 가지 중요한 사건은 앙골라와 모잠비크 사이의 영토에서 포르투갈의 철수를 요구한 1890년 영국의 최후통첩이었습니다. 이 최후통첩으로 포르투갈의 재정적, 군사적 약점이 드러났고 중요한 영토를 잃게 되었습니다. 공화당은 이 사건을 식민지 문제에 대한 군주제의 미숙한 대처를 비판하는 데 사용했습니다.

이러한 어려움에도 불구하고 카를로스는 뛰어난 외교력을 발휘하여 20세기 초 포르투갈을 유럽 외교의 중심에 세웠습니다. 카를로스는 해외 출장을 자주 다녔고 유럽 군주와 국가 원수들의 방문을 받았습니다. 1903년 영국의 에드워드 7세가 국왕으로서 첫 해외 방문지로 포르투갈을 선택했을 때 그의 외교적 성공은 분명해졌습니다.

하지만 카를로스는 재위 기간 내내 재생당과 진보당이 번갈아 정권을 잡으면서 언제나 의회 과반수를 차지하는 로테이션주의 체제로 인해 정치적, 경제적 위기에 직면했습니다. 이 체제는 안정을 보장했지만 부패와 효과적인 거버넌스의 부재를 낳았습니다.

1908년 2월 1일, 카를로스와 그의 장남 루이스 필리프 왕세자가 리스본의 코메르시우 광장에서 암살당하는 비극이 일어났습니다. 이 암살 사건은 유럽에 충격을 주었고 카를로스의 죽음은 포르투갈의 의회 군주제 개혁 시도에 종지부를 찍는 계기가 되었습니다. 카를로스 1세는 리스본의 상 비센트 드 포라 교회에 있는 브라간사 가문의 판테온에 그의 아들 필리프와 함께 묻혔습니다.

마누엘 2세(Manuel II)

애국자 왕(the Patriot) 또는 불행한 왕(the Unfortunate)이라고도 알려진 마누엘 2세(Manuel II)는 1889년 11월 15일 포르투갈 리스본의 벨렘 궁전에서 태어났습니다. 그는 카를로스 1세 국왕과 그의 아내인 오를레앙의 아멜리아 공주의 둘째 아들이었습니다. 마누엘은 1908년 아버지와 형인 루이스 필리프 왕자가 암살된 후 왕위에 올랐습니다.

마누엘은 지도자로서 포르투갈의 안정을 유지하고 사회 발전을 촉진하는 것을 목표로 삼았습니다. 그는 짧은 통치 기간 동안 정치적 불안과 공화주의에 대한 지지 증가 등 수많은 도전에 직면했습니다. 그러나 마누엘은 입헌 군주제를 유지하고 헌법 카르타를 준수하는 데 전념했습니다.

마누엘의 리더십 스타일에서 주목할 만한 한 가지 측면은 사회 문제 해결에 집중했다는 점입니다. 그는 도시 프롤레타리아트의 복지에 대한 우려가 커지고 있음을 인식하고 그들의 생활 여건을 개선하고자 노력했습니다. 마누엘은 노동자 계급에게 혜택을 줄 수 있는 사회 개혁을 실행하기 위해 사회주의 정당과 협력하기 위한 노력을 시작했습니다. 그러나 이러한 정책들은 정치적 불안정과 급진 공화주의자들의 반대로 인해 방해를 받았습니다.

마누엘의 노력에도 불구하고 마누엘의 통치는 정치적 혼란과 국민들 사이에서 공화주의 정서가 높아지는 것으로 특징지어졌습니다. 이러한 정치적 환경은 극복하기 어려운 것으로 판명되었고, 1910년 10월 5일 공화주의 혁명이 일어나 군주제가 전복되었습니다.

포르투갈 공화국이 수립된 후 마누엘 2세와 그의 가족은 강제로 망명길에 올라야 했습니다. 그들은 영국으로 피신하여 런던 인근 트위크넘의 풀웰 파크에 정착했습니다. 폐위되어 망명 생활을 하는 동안에도 마누엘은 강한 애국심을 유지하며 포르투갈 정치를 지속적으로 지지했습니다.

망명 기간 동안 마누엘은 런던의 포르투갈 커뮤니티에서 활발한 활동을 이어갔습니다. 세인트 제임스 교회에서 종교 예배에 참석하고 수십 명의 아이들의 대부가 되었습니다. 또한 정치계와 연락을 유지하며 왕정주의 단체들 사이에서 영향력을 발휘했습니다.

포르투갈에 대한 마누엘의 헌신은 지역 사회에 대한 개인적인 참여 이상으로 확장되었습니다. 그는 유언장에서 박물관 설립을 위해 자신의 개인 유산을 포르투갈 국가에 기증하겠다는 의사를 밝혔습니다. 또한 포르투갈에 묻히고 싶다는 의사를 밝히기도 했습니다.

비극적이게도 마누엘 2세는 1932년 7월 2일 42세의 나이로 알레르기로 질식사하면서 생을 마감했습니다. 살라자르 총리가 이끄는 포르투갈 정부는 마누엘 2세가 포르투갈로 돌아와 묻힐 수 있도록 승인했습니다. 그의 유해는 1932년 8월 2일 돌아왔고 국장으로 장례식이 열린 뒤 리스본의 상 비센트 드 포라 교회에 있는 브라간사 가문의 왕실 판테온에 안장되었습니다.